ヨハン・ゴットフリート・ヘルダー 著

Johann Gottfriecl Herder

# 人間形成に関する私なりの歴史哲学

Auch eine Philosophie Geschichte zur Bildung der Menschheit

マテーシス 古典翻訳シリーズ III

高橋昌久 訳

風詠社

目次

# 凡　例

一．本書は底本として Johann Gottfried Herder, *Auch eine Philosophie der Geschichte zur Bildung der Menschheit*, Reclam, 1990. を用いた。

二．表紙の装丁は川端美幸氏による。

三．本文中において著者のヘルダーが脚注を施しているが、この脚注は（ヘルダー注）として本文中にアラビア数字にて表示し、編集部が付した訳注は小文字のラテン数字にて文末注として表示している。

四．小社の刊行物では、外国語からカタカナに置換する際、原則として現地の現代語の発音に沿って記載している。ただ、本書では訳者の方針から、古典ギリシアの文物は再建音で記載している（アガピ→アガペーなど）。なお、脚注にできるかぎり現代語のカタカナ表記を付した。

五．本文の前の文言は、訳者が挿入したものである。

六．本書は京緑社の Kindle 版第三版を底本とした。

Die Weltgeschichte ist das Weltgericht.

Friedrich Schiller

世界の歴史は世界の審判である

フリードリッヒ・シラー

# 第一章

歴史の最古まで遡り、そこから民族移動、言語、道徳、発明や伝統を解明していけばいくほど、[1]人類というものが唯一なるものから発生したことがいよいよ明らかになっていく。人間が恵まれた気候の恩恵を受ければ、一対の人間が創造的摂理による穏やかな影響のもと、その摂理の中でも好都合なものの助けも借りた上で、一本の糸を紡いだのだった。その糸は後に、錯綜しつつ長くそして広く紡がれていくものである。したがって、そういった気候の恵みによって生じた初めの偶然性は、全人類のか弱い一対の萌芽を細心の注意を払って育てようとする母なる摂理の恵みにおいて生じたものと見なすことができる。我々はこのような創造者に対して、その高貴さと幾千年、いや永劫に向けるその目を信じないわけにはいかないのである。

我々が自然によってもたらされたものであるように、こうした最初の発展はとても単純でかつ細く不可思議なものであるのは当然である。種子は大地に落ちて死に絶える。だがその胚は密かに形成されていき、やがてその完全体が我々の眼前にその姿を表す。哲学者のお眼鏡には先天的に認め難いものではあろうが。最古の本に書かれている、人類全体のそれまで発展史は、すこぶる単純で摩訶不思議な響きを持っているようにも思え、そのため奇跡や神秘的な要素を忌み嫌う今世紀の哲学者たちにそのことを持ち出すのは憚られてしまう。だが、だからこそその歴史は真実なのだ。ここでは一つだけ述べておきたい。今世紀の眩い輝きに目が眩んだものにとっても、より長い生命、より静かで調和の取れた自然の作用、つまり族長時代によってもたらされつつあったあの英雄の時代は、人類の最初の諸形式をその後に続くあらゆる子孫たちに一挙に、そして永遠に記憶に刻ませるために必要なものであったのは自明のことではなかろうか?今日我々は、地球上の影の如く束の間にこの世界を走り去ってゆくに過ぎない。我々が地上にもたらす善と悪は全て（我々は最初に全てを受けとったのだから、我々がもたらすものは少ない）、我々が再び持ち帰る運命にある。我々の年月、生涯、模範、企て、与える印象、これら含め地上に我々のなす総体は、やがて消えゆく一時の夢、戯言に過ぎぬのだ！汝諸々を過ぎ去らしむ云々、と言われている。我々が多大に蓄えた力や能力が我々自身の前に展開されていて、我々の体液、衝動、年齢、思想は一層早く流れていき、それは水泡が他の水泡を追っては破裂するが如く、片方がもう片方を追いかけている状態である。また、力と思慮深さ、能力と力、素質と善意の不均衡が今の時代頻繁に見られ、その不均衡はその時代の没落を象徴するものと言って良い。このような事態でもなお、子供じみていながらも大量にある力を、短く無力な人生の期間において計り、確かに獲得できるのは、慎重な摂理による配慮と考えられる。だがあの最初の、静かで樹の如く永遠に生きるかのように思われていた族長時代も[i]、人類の最初の嗜好、道徳、制度を根付かせるために必要だったのではないか?

その嗜好とは具体的にどのようなものであったか?どのようになっていくものだったのか?それはもっとも自然的で、最も強く、最も単純なものであった！その後のあらゆる世紀にも続

---

1（ヘルダー注）アジアに関する最近の旅行記や研究。

く人間の永遠の基礎となるべきものだったのだ。学問ではなく知恵、知恵ではなく神への畏敬、お愛想じみた放蕩ではなく父母の、夫婦の、子の愛、秩序ある生活、神を敬いながら一家を治めること、市民的秩序と制度のあらゆる原型である。これら全てに人類の単純ながらも最も深い喜びがあった。こういったものを教え込み（あえて仕上げられるとは私は言わないが）、形成し続けていくためには、穏やかながらも永遠的な力を持つ模範、周りを治める一連の模範による力なくしてどうして可能であろうか？

我々の一生の長さではどんな創意工夫による発明が行われても、妄想が生まれては消えてゆくように、その発明は忘れられなくなっていくであろう。いかなる未成年者がそれを受け入れることができようか？仮にできたとしても未成年にそれを受け入れさせることを強制できようか？こうした場合だと、人類の最初の絆が崩れたであろう。いやむしろ極めて短くか細い糸が本来は頑強な絆へと変化するはずだったのに、そうならなかったため、人類の数千年にわたる形成にも弱体化を及ぼし人類は永遠に滅び去ることになったであろう。だがそうはならなかったのだ。私は世界の最古の祖先の神聖なる樹木の前にただ敬虔にも打ち震え立つのだ！その神聖な樹木の周りには無数の若木が育っており、それは後世の永遠に続くより美しい森を約束している。だが見よ！老いた樹もまた生え続け、四方に根を張り、その根の力強い樹液を以て若き森全体を支えているのだ。先祖がその知識、嗜好、そして道徳をどこから持ってくるのか？それは具体的にはどのようなもので、どれほど乏しいものであろうか？答えはなんであれ、その周りにはすでに一つの世界とその後に続く世界へと染み込んでゆく性状と道徳がすでに見受けられるのだ。それらは静かだが力強く、永遠とも言える神の似姿から派生する思想のみから形成され、確固たるものになっていくのだ！二千年はわずか二世代に過ぎぬのだ。

人類の形成のこの英雄的とも言える創世記についてはひとまずおいておくとして、世界史のただの瓦礫を手がかりにしつつヴォルテール流のあの大雑把な論考術を用いると、人間の心に最初の好みを芽生えさせ、それを具体的に形成し、はっきりとさせた状態としてはいかなるものが考えられようか？そういったものはすでに我々の歴史の伝統の中で、応用されて用いられているのを見いだせよう。世界で最も美しい風土において行われた遊牧の生活、それを行うための最も素朴な欲求を自然は進んで叶えたり援助したりした。先祖伝来の族長小屋における静かながらも彷徨い続けるその生活は、人目にはつかぬものの、ほかにも色々なことが付随している。人間的な必要、営みや娯楽、その他寓話や歴史において描かれるもの。そういった営みや娯楽を行っていく生活というのは、それを我々は自然に生き生きと想像する必要があるのだが、最初の華奢な人類を育て上げるための、神が用意したなんたる楽園であったことか？力が充溢していて神を全身で感じているこの男を見給え。その感情は、この樹に流れている樹液のように、内面的にとても静かに感じているものだ。あの被造物たちの下に多種多様に分かれ力強く蠢く本能を彼は持っている。その本能は密集し、静かに健全と作用する自然的な衝動の如く彼を動かしているのだ。その周囲の全世界は神を祝福している。父なる神のその巨大で勇敢な血縁がそこにあるのだ。この世界に彼は毎日目を向ける。必要と娯楽から彼はそれに結ばれる。労働と用心と穏やかな防御によってそれと対峙する。この天の下で、この生の力の要素の中で、いかなる考えの様式や心情が形成されることだろうか！自然の如く大きく、朗らかに！その生全てにおいて自然の如く静かに、そして勇敢に！長い人生において、その楽しみは一者的なもので分解なぞできぬ。過ごす一日一日は、休息と疲労と、学びとその維持に費やされる。見給え、それが族長の一人の人生の模様であったのだ。だが一人で、とは？　神の祝福は自然全体に及んでおり、それが人類の、形成を続けていく人類のその姿よりも、深く顕在することはあろうか？女は族長のために子供を産み、息子は神なるものと似ている。彼の周りにそして彼の後世に大地が満たされていくその神の種族と、だ。神の祝福は彼の祝福に他ならない。彼が治め、彼が教育するのは彼のものだった。彼の子供、その子供の子供、そこから続いていく第三世代、第四世代、それらも彼のものだった。彼は彼らを宗教と正義、秩序と幸福によって導いていく。これが族長世界の理想だが、決して強制されたものではなく、自然に任せて行われたものだった。それら以外には人生の目的も、いかなる楽しみも力の行使もあり得ぬことだった。神よ、最も単純で、必然的で、快適な性向において自然を形成するためにいかに適切な事態にあったか！人間、男、女、父、母、息子、相続人、神の司祭、支配者、家長、それらをあらゆる世紀に生むための土台がここに形成されていたのだ！千年王国や詩人の空想などとは無縁に、族長たちが住んだ地域とその天幕は、永遠に人類の幼少期の黄金時代として残り続けるであろう。

この世界で嗜好を生んだその状態は、我々の時代の錯誤ゆえに異様で恐ろしいものに思われがちではあるが、論証によって誤りであることが証明されるであろう。我々は途方もない極めて暴力的とも言えるほとんど崩壊した諸国から、オリエントの専制政治なるものを考えだしてきた。だが実際にそういった諸国がそのような状態になるのは、滅びゆく最後の足掻きの時であり（あるいは専制が最後の足掻きとも言えるのだ！）、そして今日びのヨーロッパ的な概念（あるいは感情）からすれば専制政治ほど恐ろしいものはないのだから、我々が自分たちをそういった状態から切り離し、そういった政治など自分たちの環境ではありえないものだと夢想して自らを慰めている。[2] 確かに、族長の天幕においては名望、手本、権威が支配していたが、それは我々の政治における決まり文句で言えば、恐怖がこの専制的な統治のバネとなったものかもしれない。だが人間たちよ、専門の哲学者[3]の発する言葉に惑わされてはならない。その名声が一体どのようなものであり、その恐怖が一体どのようなものかをまず考察してみなければならないのだ。どのような人間でも、その生活で無味乾燥な冷たい理性では学ぶこと叶わず、

2 （ヘルダー注）ブーランジェ『オリエントの専制政治について』、ヴォルテール『寛容について』『歴史哲学』等、エルヴェシウス『精神について』第三論文等。
3 （ヘルダー注）モンテスキューの弟子とその模倣者たち。

権威に基づいた好みや教育によって色々学んでいくという年代があるのではないか？そのような年代では、善だの真だの美だのについてあれこれ考えさせたり論証したりしたところで、彼らはそれを受け入れる耳や感性や魂なぞ持ち合わせてはいないのではないか？だが俗に言われる教育の偏見や印象等に関して言えば、受け入れるだけの全てを彼らは備えている。見よ、このいわゆる偏見と呼ばれるものは、バルバラ・ケラレントなくしても容易く会得できるものであり、自然法について何かの証明になるというのでもないが、ともかくなんとそれは強く、深く、有益で永遠的なものであろうか！それはその後に築かれる全てのものの土台となるものだ。あるいは後にくる全てのより弱いもの、後に生じるものはどんなに綺麗事を並べても弱いものだが（所詮その綺麗事は感情的なものに過ぎない）、その弱い者を生じさせる萌芽と言えるものがしかとできていると言えるかもしれない。したがってそれは、最も強く、永遠的で、ほとんど神的な特徴を持つものであり、それは我々の人生を全く幸福にもするし腐敗させることもできる。もしそれが我々を見捨てることがあるとするのならば、それは全てが我々を見捨てることと同義となる。そして考えてみるがいい、個々人が幼少期において不可避的に必要としているものは、人類の幼少期においてもそれは勝るとも劣らないものだ。君が専制政治をその極めて華奢な萌芽と名付けたものは、家や小屋を治めるための父性権威に過ぎなかったのだ。それがどんなことを成し遂げたかを考えてみるといい。そしてその成就を今世紀の冷たい哲学を駆使して君は否定しようとしている。だがその専制政治というものは、正義や善を、少なくともそう思われるものを確かに論証することはなかったであろうが、永遠の形として固定したのだ。そしてそれに神性と父性の輝きや、古来より続く習慣の甘美な莢《さや》に治め、その世界の幼い考えに内在する生き生きとしたものと人類の最初の喜びを以て、まるで魔法を使ったかのように記念碑として打ち立てた。いかなるもの、世界におけるいかなるものもこれらとは比べるべくもない。それはいかに必要でいかに善であり、いかに人類にとって有益なものであったか。礎はこのようにして置かれた。そしてそれ以外の方法はありえなかった。少なくともこれほどに容易くそして奥深く大地に埋められることはなかった。今も埋められている。それから数世紀、その上に建設が行われ、砂嵐がピラミッドの麓を砂で覆うように世代の嵐がそれを襲ったが、決して揺らぐことはなかった。まだ置かれたままであり、全ては礎の上で築かれる。

東方、まさに神によって選ばれた土地。それらの土地に見られる特有の繊細な感受性は、素早く、飛翔するような想像力を有しており、その想像力は全てを神々しい輝きで纏うことを好むものだ。権力、名望、智慧、力、神の痕跡が見受けられるもの全てに畏敬を払い、子供のように従順になる。その従順さは我々ヨーロッパ人には理解できないが、彼らにとって自然なものであり、畏敬の念がそこに混ざっているのだ。遊牧の民の生活は無防備で分散的で、安息を好み群衆的なものである。それは神が支配する平原にて穏やかに骨折らず生を享受しようとする。しかし大なり小なり環境によって支えられた全てのものは、後々征服者たちによる専制政治のための素材を提供することになった。その素材はあまりにも豊穣であったがゆえに、専制政治は永久にオリエントにおいて樹立され続けるだろうし、オリエントのその専制政治はいかなる外部からの力によっても覆されたことはない。それに対抗できるようなものなど何もなく、どこまでも途方もなく拡大していくばかりであったから、自分自身の力の重みによって崩壊することを常としていた。無論この専制政治は、しばしば恐るべき力を発揮することがあった。そして哲学者が言うには、それはあまりにも恐ろしいものであるから、東方人は今まで人間的でより優れた憲法に基づいた愛情のある政治という概念など念頭に浮かばなかったのだ、とされた。しかし後世のことはおいておくとして次のことは認めねばなるまい。初期段階における父権支配の下では、愛おしむような幼児の心を持った東方人こそが、最も幸福で最も従順な生徒ではなかったか?全ては、母の与える母乳と父性的な葡萄酒として享受されたのだ!全ては子供の心の奥にしまわれ、神の権威の下にそれが封印されたのだ!人間の精神が得た智慧と徳の最初の形は、単純ながらも力強く崇高なものであったのだ。そして今、素直に言ってしまえば、我々の時代の哲学的で冷たいヨーロッパの世界は、それとおそらく、いや確実に並びうるものなぞ何一つないのである。我々がそれを理解し、感じ、ましてや享受する能力は持ち合わせていないのだから、それを我々は嘲り、否定し、曲解するわけだ!皮肉にもそれがその正当性の証というわけなのだが!

疑いもなく、宗教が必要であった。いやむしろ宗教こそが、全てが生きそこで営みが行われる領域としての要素を持っていたのだ。人類が創造され育成された時の（どのような子も生まれると親による看護が必要なように、人類もまた必要とする）神々しい印象というものは全て度外視するとしても、老人や父親、王がごく自然に神としての地位の代理をとり、父的なものの意志に従順であったり、古くから続く習慣の遵守、昔の思い出を留める上役の合図に対する畏れ多い服従、[4]これらがある種子供らしい宗教的な感情と混ざる時、我々が現代の精神と心から確実だと思われるような、[5]詐欺師や暴漢に他ならなかっただろうか。そういった考えを人々に押し付けるために、巧みにでっちあげて不当にも濫用しなかっただろうか。我々の行為の要素としてそのような宗教的感情を抱くことは、我々の哲学的な領分、教養ある我々の時代、我々の自由な考えを許されている政治制度に対して内面的にも外面的にも極めて恥ずべきことであり有害である（いやむしろ、それはこの世界にとってありえないことだとすら私は思う）と言えるかもしれない。もし今、神の使者たちが現れたら、詐欺師や暴漢だと言われもしよう。だがあの時代、あの土地、人類のあの段階における精神は、全く我々のとは違うものだということが分からないのか？――最古の哲学と政治制度がすでに、どの国においても必然的に神学を由来とするものでならなければならなかったのだ。人間は見るよりもむしろ驚く方を好む。真と美の神聖なる観念は驚きを通してのみ到達しうる。服従と従順によってのみ、善を

4（ヘルダー注）モンテスキュー、『法の精神』一・二四、二五。

5（ヘルダー注）ヴォルテール『歴史哲学』、エルヴェシウス、ブーランジェ、その他。

初めて所有しうる。人類全体についても同様のことが言えるだろう。君は子供に言語を教えるにあたって哲学的な文法によって覚えさせたことがあろうか。運動に関する理論をそのまま丸写しで子供に歩くことを教えただろうか。道徳論の論証によって、簡単な義務にしろ困難な義務にしろそれらを理解させるべきだったであろうか。させてもよかっただろうか？そもそもできたであろうか？幸運にもそうしてはならないし、することもできないのだ。そのか弱い性分は、まだ何ものも知らずそれゆえに全てを知りたがる。すぐ信じてしまうし、どんな印象でも被ることができる。すぐに相手を信じてしまい、従ってしまう。だから全て善きものについて言ってしまい、空想し、驚きながら、全てを捉える。だがそれゆえに全てをより確固に見事なやり方で我が物にする。「彼の華奢な心に宿る信仰と愛と希望、それこそは知識、嗜好、幸福の唯一の種子である」。それでも君は神のこの創造物を非難するというのか？それとも君はいわゆる誤謬というものに、善に到達するための手段、唯一の手段を見出さないとでもいうのか？君がこういった無知や驚き、空想と畏敬、熱狂と幼心に、君の時代の最も忌まわしい悪魔である、詐欺、愚かさ、迷信、奴隷といった要素を結びつけるなんてなんと愚かなことか。君があの時代の司祭や君主を悪魔や暴君だと考えるのは、君の単なる空想上の思い込みに過ぎない。もし君がある幼児に哲学的理神論だの、美学的な徳や名誉だの普遍的な人類愛だのを説いたのなら、それは更に遥かに愚かな行為だと言えるだろう。それらは君の時代において尤もらしい高尚な響きを有しながら、その実は比較的よいにしろ圧政や搾取、都合の良い啓蒙活動なのだから。それでそれを幼児にだって？愚かしい悪童はお前ではないか！そしてお前はその子からより良い性向を、彼の幸福とその性分の本質を奪おうとしているではないか。もしそんなことをして君の馬鹿げた計画を成就したとなれば、この世で最も耐え難い代物、三歳児の老いぼれを生み出してしまうではないか。

哲学！我々の世紀は硫酸とともにその名を額に書き付け、脳の奥深くまでにその力が発揮しているように思われる。最古の時代に対するこういった哲学的な批判は、知られているように歴史に関する哲学と哲学に関する歴史に満ちあふれているのは一瞥すればすぐわかる。そういった様相を一瞥するにあたって、私は不満と嫌悪を抱いているのだが、だがこういったことの行く末についてまでいちいち心を砕かなければならないというわけではない。それ故読者よ、先に行きたまえ。そして数千年後においてもなお今の時代に保たれた純粋な東方的な本質を感じ、最古の歴史からそれを蘇らせてくれ給え。天の摂理の大いなる目的のために人類において形成されたその嗜好というものをそのような土地においてこういった仕方をすることによってのみ君は見出すだろう。その有様を絵画にして君に見せられたら！

摂理は更に発展の糸を紡いでいって、ユーフラテス、オクソス、ガンジスからナイルに至って、更にフェニキアの岸辺までに達した。それは大きな歩みであった。

古代エジプトを現代にいる私がその有様を遠くから観察するとき、それが人類の歴史において形成されたものに想いを馳せるとき私は殆ど畏敬を感じざるをえない。東方で人類の幼少時代が形成されたように、この土地で人類の年少時代の性向と知識の一部が形成されていった。オリエントの創生と同様に、ここでもその変容はゆっくりと人知れぬうちに行われていった。

エジプトには牧草地がなく、そのため遊牧生活もなかった。人類の最初の小屋に生まれた族長精神も、それゆえに喪失された。しかしナイルの泥から形成され実っていったゆえに、いとも容易く極めて優れた農耕地が生まれていった。それ故に元々は風俗にしろ、嗜好にしろ、知識にしろ牧人的だった世界は、農耕的なものへと変遷した。放浪の人生は終わった。人々は定住し、土地の所有が始まったのだ。土地は測量される必要が出てきて、各自各々の領分が定められ、その所有権は守らなければならなかった。だからその土地に行けば必ずその持ち主に出会うことができた。土地の安全性、公正心の育成、秩序、警察、こういったものは全て東方の世界にはあり得なかったものだ。それは新しい世界だったのだ。そして新しい産業が生まれた。そういったものは幸福で閒暇いっぱいの小屋の生活者、地上を遍歴する異邦人たちには思いも及ばぬものであった。彼らが使ったこともなく、使おうとも思わなかった技術が発明されていった。エジプト人に特有とも言える正確さと農耕への熱心さを持ってこそ、そういった技術は実に高度な機械的完全さへと昇華された。非常な勤勉さ、安全性、秩序の精神が隅々まで行き渡っている。誰もがその地の法律に通暁しており、必要ゆえに、また喜びゆえに従った。かくして人間は法の下に束縛された。東方では性向は単に父的、子的、牧人的、族長的に形成されたのが、ここでは市民的、村落的、都市的な側面から形作られていった。子供たちには広袖は時代にそぐわなくなった。少年は学校の椅子に着席し、秩序と勤勉と市民としての徳を学ぶようになったのだ。東方とエジプトの精神を厳密に比較してみると、人間の年齢から類推した私の推測は、決して単なる戯言に過ぎないことではないという証明になる。確かに両者の年齢において共通のものはあるが、天上的な色合いは色褪せ、土くれが混じり地上的な性格が有しているのだ。エジプト人の知識はもはや父なる神による神託めいたものではなく、安全性のための法や政治的な規則の様相を帯びた。神託の残余については、聖僧として板に描写されたものとなり、少年がその前に立って成長していき知恵を学び続けるように導いた。エジプト人の性格は東方人のような弱さは見受けられなくなっていた。家族的な感情は弱まり、代わりに個人について、職業や階級について、技術的な才能について気遣うようになった。技術的な才能は、家や畑のように、職業的地位とともに継承されていった。かつて男が治めていた無為な天幕は、労働のための小屋になった。そこでは女性も一人の人間として取り扱われるし、族長もまた今や技術職人としてそこに座り暮らしを立てるようになる。神の自由な草地には、家畜がいっぱいで、耕地にはたくさんの村落や都市ができる。子供は、乳や蜂蜜によって養われていたが、今や義務の行使の褒美としてお菓子をもらう。新たな道徳が至るところに染み込まれていた。それはエジプト的な勤勉さ、あるいは市民的誠実とでも名付けえようが、それは東方的な感情とは別物である。東方人は今なお、農耕、都市生活、技術職の労働場での奴隷労働的なものに嫌悪をいかに抱いていることだろう。あれから数千年経た今でも、こういったことを殆どやろうとはしない。東方人は荒野の自由な動物の如き暮らしを今も続けている。これとは反対にエジプト人は、牧人的な生活とそれに付随するもの全てをなんと忌み嫌うことだろう！それはちょうど後に、より洗練されたギリシア人が重荷を背負っているエジプト人に向けた嫌悪と同じようなものである。少年がオムツを履いている幼児を嫌い、青年が少年の通っている牢獄のような学校を忌み嫌うのと全く同じである。だがこれら三つの要素は、お互い密接な連関関係を持つものである。東方的な幼児教育なくしてエジプト人はエジプト人ではあり得なかったし、エジプト人の学生の如き熱心さがなければギリシア人はギリシア人たり得なかったであろう。以前あったものを忌み嫌うのは、それこそ発展や前進、さらに進歩において新たな段階に入っていることを示すのだ。

摂理が軽やかな足取りで進んでいくのを見るといつも驚いてしまう。宗教で幼児を魅了して教育したその摂理は、少年においては他ならぬ必要と学校の愛すべき強制によって彼らを育んだ。エジプトにおいて牧草地はなかった。故にそこに住む人々は農耕に関しての技術を確実に身につけねばならなかったが、摂理は彼らにあの豊穣なナイル川を提供することによって本来は艱難辛苦であったその学びをなんと楽にさせたことだろうか！エジプトには木材がなかったから、石で建築をすることを学ぶ必要があった。石切り場はそこに十分あって、そこの石を容易に運び出すのにナイル川は大きな役割を果たした。それによりその技術はどれほど高度なものになったことだろう！ナイル川は氾濫していた。測量、排出路、堤防、運河、都市、村落、こういったものを人々は必要とした。どれだけ多様な方法で人々は土の塊にへばりついたことだろう！だがその土の塊からどれだけの設備が創設されたことだろうか！地図上では、創設されたものそれらも単なる絵や記号に過ぎないが、だが実際そこで示される土地やそこからの創造物は独特なものであり、それに携わったその人間種族もまた独特なものなのだ。人間の知性はそこで多くのものを学び、そしてここ以外の地球上のどの場所も、土地の開墾を明らかに示すところはなかったであろう。中国は今もこれを模倣としている。その判断と推測は諸君らに任せるとしよう。

ここでもまた、エジプト人特有の徳をその国土、時代、人間精神の少年時代から取り出して他の時代を基準にして計ろうなどというのは馬鹿げたことだ。前述したように、ギリシア人はエジプト人を誤解したし、東方人はエジプト人を憎んだものだが、ともかくエジプト人を見て正しく考察するには、彼らの住んだその土地にまず目を向ける必要がある。そうではなくヨーロッパ的な観点から見ていくとなると、本来のその姿が大いに歪み異様なものと映ってしまうだろう。発展は東方の幼年時代から始まり、その頃はまだ宗教、畏怖、権威、専制政治が教育の手段として採用されていた。七歳の子供に対して、大人や老人にするように詭弁を弄したところで甲斐がないからである。そういったわけで無論、我々の感性からすればこういった教育手段は固い莢のようであり、時には甚だしい災難を巻き起こしたり、多数の病を誘発することもあった。これは子供の喧嘩とかスイス州間の争いとも言われたりする。君はエジプトの迷信や坊主気質に対しては好きなだけ怒ってもいいだろう。全てをギリシア的な原型に当て嵌めようとするあの愛すべきヨーロッパのプラトン[6]がやったようにね。確かにそうだ。そうしてもいいだろう。エジプトの制度が君の土地と君の時代に作られたものであったならば、だが。少年の上着は巨人にとっては無論小さすぎる。花嫁と並んでいる青年にとっては、学校という牢屋は実に忌まわしいものだろう。だが見よ！君の着るガウンはエジプト人たちにとってはまだ長すぎるのであり、エジプト的精神について君が何か知っていれば次のことは自明ではないかね？

　君の市民的な賢明さ、哲学的理神論、軽妙な戯れ、世界旅行、寛容、礼儀、国際法、その他諸々のもの、そんなものを彼らに押し付けたら、少年が少年の姿をした老人になってしまうことに。エジプト人は閉じ込められるように狭い世界に住む必要があった、そして知識や好みや道徳の欠如が、彼らの潜在性を引き出すためには確かに必要だったのだ。そして今世界史の発展の中でそれが引き出されていったのは、まさにその国土のその住処だったからこそなのだ！だからエジプト人の我々から短所と思われたのは実は長所であり、あるいは必要悪であったのだ。大人は幼児を彼らに馴染みのない考えで養っていく必要があり、少年はあちこち彷徨うのと同じくらい学校で厳しく躾けるのが必要なのだ。なぜ君はエジプト人をその場所から、その時代から引き離そうとするのか。可哀想な少年を君は殺そうというのか？そんなことを記したような本をかき集めれば実に大きな図書館が出来上がることだろうね！エジプト人はすっかり老人に仕立て上げられ、彼らの象形文字、技術の黎明、警察制度から随分とまた叡智めいたものがかき集められている。[7] かと思っていたら、ギリシア人を引き合いに出して随分とまた軽蔑される。[8] その軽蔑は彼らがギリシア人ではなくエジプト人だからというだけの理由で、殊にギリシアの愛好者がその愛する国から帰ってくるとそういう考えを抱くものだ。こんな明らかにバカなことがあってなるものか！

ヴィンケルマン[ii]は最も優れた古代芸術史の専門家だが、彼はエジプト人の芸術品についてはギリシア的な価値観でしか評価しなかったのは明らかだ。故にそれを否定することにかけては見事な仕事をしているが、その固有の性質や種類については殆ど言及していない。そういったわけで彼の著作『古代美術史』においてエジプトについて言及した章でも、一面的に色眼鏡をかけた状態で論を進めている部分も多々ある。ウェッブも、ギリシアの文字とエジプトの文字を対比させた時も同じような誤りを犯している。他の多くの書物も、エジプトの風俗や統治制

---

6（ヘルダー注）シャフツベリ『性格論』第三巻、雑論集。

7（ヘルダー注）キルヒャー、ドリニー、ブラックウェル等々。

8（ヘルダー注）ウッド、ウェッブ、ヴィンケルマン、ニュートン、ヴォルテール。時と場合により、時には称賛、時には軽蔑を示す。

度をヨーロッパ精神を基準にして論考しているものには、そういった誤りが多々見られる。エジプトを見るものは、大抵ギリシアからやってきてギリシア的な目で見るわけだから、それはエジプト人にとって実に都合の悪いことに違いない。だが親愛なるギリシア人よ、エジプト人による彫像は君たちの美しき芸術の理想となろうなどとはとても考えていなかったものなのだ（そのことは君たちも認めてくれるだろう）！エジプト人は魅力や行為や動作をたっぷりと象った彫像など思うべくもなかったし、そもそもそういったものは彼らの企てた目的とは相反するものだった。ミイラこそが彼らの目的だったのだ！逝去した親や先祖の思い出として、彼らのその表情や身長等を極めて正確に再現しようとしたのだが、それには無数の規則に従わなければならず、それに少年は束縛されていた。だから、魅力や行為、動作といったものはなく手も足も休息と死をいっぱいに漂わせながら墓所に置かれているのは当然のことなのだ。それはもはや永久に動かぬ大理石製のミイラである。見たまえ、エジプト人による彫像はそれを目的として作られたのであり、実際そのようなものとして出来上がっているのだ。それは最高水準にまで上った機械的な技術を使ったものであり、彼らからすれば理想を具現化したものなのだ！君は大層ご立派に非難をしたが、そんなものだとないも同然だ。君があらゆる理屈を付けながらこの少年を拡大鏡を通して巨人にさせ照明を当てようとしたところで、この少年について何一つ明らかになることはないだろう。あらゆる少年的なものは喪失し、それは巨人なぞでは全然ないのだ。

フェニキア人はエジプト人とかなり密接な関係にあったけれども、その教育に関しては正反対であった、というより正反対になった。エジプト人は少なくとも後の時代では、海と異邦人を嫌い、自国に引きこもり「彼らの国土のあらゆる素質と技術を発展させることだけに努めた」。だがフェニキア人は山を越え砂漠を越え海岸にまで辿り着き、海の上で新しい世界を形成することになった。その海はどのような海だったのか？海峡があり、国と国に挟まれた入江があり、海岸と島と岬とで形成され、国民が海を泳ぎ土地を探す労力を軽減してやるのにうってつけなものと思われる。多島海と地中海よ、汝らは人間の精神史においてどれほど名誉を担っていることか！商業だけを土台とした商業都市であり、それは文字通り世界を初めてアジアまでに押し広げたものであり、民族は新たに開拓し、そして新たに結びついた。なんたる発展の大きな一歩であることだろうか！もちろん東方の遊牧生活は今や、形成されたこの都市とは比較にならぬものとなった。家族的な感情、宗教、人生の気楽な楽しみといったものはもはや失われた。採用された政治制度は共和国の自由へと大きく前進したが、そういった自由は東方人やエジプト人には全くの無縁のものであった。商業が営まれる海岸では、知らないうちにそして自分たちの意思に反して、都市、家、家族のいわば貴族制が出来上がった。これらによって人間社会の形態にいかなる変化がもたらされたことだろうか！フェニキア人は別に人間愛によってこういった諸国を訪れたわけではないが、ともかく異邦人への憎悪や異民族への閉鎖性は失われていった。だがそれは民族愛や民族理解、国際法を可視化させ、それは閉鎖的な民族やコルキスのような辺境の地にある民族だと、とても考え及びもしない事である。世界は広くなった。人類はより密になり、より繋がるようになった。商業とともにまた多数の技術が発展し、特に利益や快適さ、贅沢や絢爛さのための全く新しい技術が行われるようになった。人間の勤勉性は一気に、重苦しいピラミッド建築や農耕から細々とした営みを行うようになった。建築術はあの無用で一面的なオベリスクから、多様な箇所に分かれ、しかも各々の箇所が全て必要とされるような船の建築へと従事することになった。沈黙して聳え立つピラミッドは、世界中を駆け巡る物言う帆となった。エジプト人が大きく途方もないものを建てて工作しているそのかげで、フェニキア人はガラス、細かく刻みを刻印された金属、緋衣と亜麻布、レバノン製の道具、装飾具、器、飾り等で大儲けしていた。それらを自分の手で活用することはあたかも別の国にいると思わせるものだった。その営み、目的、利益、性向、精神の用い方の点でなんと別世界的なものだろう！そしてもちろん、あの重々しく神秘性を孕んでいた象形文字は、軽くてわかりやすく、有益な計算と代数術へと変わらなければならなかった。船や海岸に住む人々や、国籍もなく海上を彷徨い諸国を遍歴する人々は、天幕や農業の小屋で暮らしたりする人々にとっては全く別の生き物と思われた。東方人は彼らを人間的でなくなったと非難し、エジプト人は彼らを祖国愛が薄まったと非難した。また東方人は愛と生を喪失したと言い、エジプト人は誠実さと勤勉性をなくしたと言った。東方人は宗教の聖なる感情について知らないと言い、エジプト人は学問の神秘性を、少なくともある部分を市場に持ち出し人目に晒したと言った。確かにそうだった。だがその一方、全く別のものが発展していたのだった（私はこれをエジプト人のものと決して比較しようとは思わない。したくないのだ！）。フェニキア人の賢明さと活発さ、新しいタイプの快適さと裕福さ、ギリシア的な趣味への移行、そして一種の民族学、ギリシア的な自由への移行。かくてギリシア人とフェニキア人は考え方が全く正反対であったにも拘らず、東方という一人の母から生まれた双生児であり、彼らは一緒に後にギリシアを、そして世界をも形成していくのだ。故に彼等は伝道のための道具として運命の掌中にあるのだ。そして先程の比喩をまたも用いて構わないならば、フェニキア人は大きくなった少年であるのだ。彼は四方八方駆け巡り、太古の知恵と熟練した技術を、持ち運びが楽な硬貨を用いて市場と街路に持ってきたのだ。詐欺師とか強欲だとかフェニキア人は言われるが、現代のヨーロッパにおける教養はどれほど彼らに負っていることだろう！そしてついに美貌のギリシアの青年が現れる。

殊更に、青年時代を思い起こすのは我々の胸を喜びでいっぱいにさせる。四肢はエネルギーが充溢し、人生はまさしく青春を謳歌している。我々の潜在能力は、快活なおしゃべりや友情へまで発展していく。全ての好みは自由と愛、楽しみと喜びへと向けられ、それは最高級の甘い調べを奏でるものだ。我々がこの思い出を黄金時代の楽園と見なす（というのも未発達だった幼年時代を誰が思い出そう？）。それは我々の目には眩いばかりの輝きを放ち、花は百花繚乱に咲き、将来の活動や未来への希望を胎内に背負っている。人類の歴史においては、ギリシアは最も美しき青年時代、あるいは花咲く花嫁としての位置づけとして永遠に刻まれている。少年は小屋と学校を抜け出し、美しい四肢を持つ高貴な青年としてそこに立っている。彼はあらゆる優雅さの寵児でありあらゆるムーサの愛人であり、オリンピアその他全ての競技の勝利者であり、精神と肉体が合一しその様はまさに咲き乱れる花である。

幼年時代の神託や、骨折れる学校時代の教科書などは、今やほとんど忘れ去られている。しかし青年はそれらのもの全てから、青年的な叡智や徳、歌と喜び、楽しみと生に必要なもの全てを引き出す。粗野な労働技術などというものを彼は軽蔑し、また単に野蛮なだけの絢爛さや単調な遊牧生活というものも同様に軽蔑した。とはいえそれらのもの全てから、新しく美しい自然の花を彼は咲かせたのであった。手仕事はその青年を通して美しき芸術に昇華された。従属的な農業は自由な市民組合となる。厳しいエジプト人によるものは重々しさでいっぱいだったが、その青年の手にかかるとあらゆる種類の洒脱で、美しいギリシア趣味へと変わったのだ。今や、なんと新しく美しい性向と能力が咲き出たことだろう。それはそれより前には萌芽はあったものの、全く知られていないことだった。支配制度も、それは東方の父権的な専制支配からエジプトの土地組合とフェニキアの半貴族制を経てついにギリシア的な感性による共和国の美しい理念へと結びついたのではないか？従順は自由と一対になり、それは祖国という呼称によって包み込まれたのではないのか？まさに花は咲き乱れた。自然の優美な現象、その名も

「ギリシア的自由」！道徳習慣は東方の父権的な感覚とエジプトの日雇い労働感覚からフェニキアの航海知恵を経由して和らげられなければならなかった。そして見給え、新しく美しい花は咲き出たのだ、ギリシア的な軽快さ、ギリシア的な温和さ、ギリシアの友愛という形をとって。愛はいくつもの段階を経ながらハレムのヴェールを薄くしていき、そうすることによってギリシアのアフロディーテ、エロス、カリスの美しい戯れとなっていくのだ。神話、詩作、哲学、美術、これらも全て同様であり、太古からの芽が萌え出て、花咲いてその香りを全世界へと漂わせるための時代と場所をここにおいて見出したのだ。ギリシアは人類の揺籠なのであり、諸々の民族の愛と美しい法律、さらには極めて快活な宗教、風俗、文字遣い、創作、慣例、技術が生み出されたのであった。全ては青春の喜び、優雅さ、戯れと愛だったのだ！

この人類における唯一無二の創造がいかなるものによって行われたかは、十分に研究され明らかになってきた。しかしここでは私はその原因を時代の推移と諸民族との普遍的な結びつきによって大まかに説明するだけにとどめる。あの美しいギリシアの風土とそこから生まれた露わな額と繊細な感性をもつ端正な人類を見たまえ。それこそまさに文化的な中間国なのであって、それは両端から流れ出る全てのものを極めて軽快で高貴なものへと変容させるのだ。美しき花嫁は、両側に二人の少年を付き添わせ、美しい理想化だけをその職務としていた。フェニキア人とエジプト人の考え方の混淆は、互いに互いの国民性を奪い強張った頑固さを磨耗させたが、それによってギリシア人は理想と自由へと指向するようになったのだ。今やかつての時代にあった諸々の要素の分離と融合という不可思議な動きが見られるようになった。多数の民族に分かれ、彼らが共和国や植民地を作っていく。しかしながら分かれてもなお共通の精神があったのだ。一つの国民としての、一つの祖国としての、一つの言語としての感情がそれなのだ！こういった共通の精神を形成する特に大きな出来事は、アルゴー号の船旅であり、トロイへの遠征であり、ついにはペルシア人への勝利なのだが、マケドニア人に敗北することによってギリシアは滅びた。共同の競技で互いに競い合う制度というのはいつも些末な差異があり、少しずつ変化していったものだが、どんな辺鄙な地域でもどんな民族においても行われるものであり、それらがギリシアにおける統一と多様性を形作ったのであり、そしてその競技もギリシアで完全に一体としていたのだ。戦と援助、努力と抑制、人間精神の持つ力は、極めて美しい均衡と不均衡を有するようになり、それはさながらギリシアのリラが奏でる調音のようだ！

だがまさにそれによって、かつてあった強さや職の実に多くが喪失されていったことも事実であり、それを誰が否定し得よう？エジプトの象形文字を覆っていた重々しいヴェールが剥ぎ取られた時、その国民を形成していたある種の深さと意味合いとその自然の性分が海の上で蒸発していったことは、避けられないことだろう。ギリシア人は美しい彫像、玩具、目の娯楽（あの重々しいものの対比してそれをなんと呼称しようとも構わないが）だけを手に入れた。東方における宗教もその神聖なヴェールが剥ぎ取られ、それらは劇場や市場や踊り場の見せ物になってしまい、まもなく物語としてそれは美しく引き延ばされ、創作物の素材となってはまた別の創作物の素材になった。それは青年の夢となり、少女のための御伽噺となった。東方の知恵のその神秘性は剥ぎ取られ、ギリシアの学校や広場でのおしゃべりとして花咲かせたり、教材あるいは口論のもととなった。エジプトの技術ではその重々しい手作りの衣装が剥ぎ取られ、それによって機械的な正確性や技術の頑強さも失われた。ギリシア人はそういうものを目指さなかったのだ。巨像は小さめの立像へと縮まった。大寺院は見せ物広場になった。エジプト的な秩序と確実性はギリシアの多様性の中において喪失されていった。プラトンの『ティマイオス』[iii]におけるあの老人はさまざまな点で次のように言うことができた。「永遠の子供である君たちよ、君たちは何も知らないのにおしゃべりばかりして、何も持ってないのにさも美しいかのように見せびらかす」。そして老いた東方人は族長小屋からもっと厳しい物言いをするだろう。彼は宗教と人間性と道徳の代わりとして機会があれば情事にばかり耽っておる等々。そうとも言える。人間という器は、何もかも入れられるほど完全なものではない。何かを入れようとすれば、何かを取り出さなければならない。ギリシアは容器に更に入れようとした。エジプト的な工業と警察はギリシア人にとっての助けとならなかった、ギリシア人はエジプト人ではなくナイル川もなかったのだから。フェニキア人の商売上手さもギリシア人にとって有益ではなかった、ギリシア人にはその背後にレバノンもインドもなかったのだから。東方人の教育方法も、ギリシアにおいては時代遅れなものであった。これだけ言えば十分だろう！ギリシアはギリシアであったのだ。あらゆる美と優雅と素朴さの原型であり模範であったのであり、人類においての花盛りの青春であったのだ。それが永遠に続いたのなら！

私はギリシアをこういった位置に設定したのだが、このような立場はギリシアが果たして独創的なのか、それとも他の民族を模倣したに過ぎないのかという論争に決着をつけるのに幾許か役に立ったものと信じている。どんな場合でもそうだが、このケースにおいてもお互いの論理についてもっと正しく理解していたのなら、とうにこの争いは終わっていたことだろう。ギリシアが文化、言語、芸術と学問の種子を他のところから受け継いできたことは確かであり、それは彼らの彫像、建築、神話、文学から明らかに読み取れる。だがギリシア人はそっくりそのまま継承したのではなく、そこに新たな性質を生じさせたのであり、そしていかなる形であれそこには「美」という単語の本来の固有の意味合いがそれらに込められている。そしてそれは以上の私の考えからまとめれば同じような結論に至るのではないかと思う。東方的なもの、エジプト的なもの、フェニキア的なものはもはや無くなり、全きギリシア的なものとなったのだ。そして多様な側面でそしてその服装を羽織ることとなった。最も大きな発明や最も重要な歴史から、細かい言葉や身振りに至るまで、それが十分に証明されている。一歩一歩、どの国民においても同様である。これ以上新たな学説を主張したり、名目上の争いをしたりしたいものは、そうするがよろしい！

人間の力とその充溢を象徴したような時代が次に到来する。ローマ人である。ヴェルギリウスはギリシアに対してのローマ的な特質について一言で書いた。その美しい芸術と若者の鍛錬はギリシア人に彼は任せておき、こう述べている。

ローマ人よ、お前たちが世界の民を支配することを、その身に刻め[9]

おおよそこの言葉によって北方人に対するローマ人の特徴が顕在化されている。北方人は、野蛮な強固さ、強襲する強さ、荒々しい勇敢さという点ではローマ人にもしかすると勝っていたかもしれない。だが

世界の民を支配すること

これが理想化されたローマ人の勇敢さだ。ローマ的な徳、ローマ的な感性、ローマ的な誇り、それらは快楽やか弱さ更には上品な楽しみには見向きもせず、祖国のために働こうとする精神のその高邁な素質である。また、無謀に猛突し危険に落ちるようなことはせず、じっと堪えて、熟考し、準備を整え、それを実行するという沈着冷静な英雄的気質をも有する。それはいかなる障害にも物怖じすることはなく、災禍を被る時もその偉大さを動じさせず決して絶望しない

9（ヘルダー注）ヴェルギリウス『アエネイス』第六歌、八五二行

不屈の足取りであった。最後にそれは、彼らの鷲が世界を覆い尽くすまではどんな取るに足らないことにも安んじることのない、偉大で決して中断することのない企てであったのだ。もしこういった特性を何か深遠な一言で表し、同時に彼らの男性的な正義、聡明、夥しい企てとそれを決断し実行に移し彼らの世界を作り上げるようあらゆる仕事をその一言でできるというのがあったのなら、それを教えていただきたい。ここに立っているのは一人の成人男性であり、その男はかつて青春時代を享受し必要ともしたが、その者にとっては今や男らしい勇敢さの奇跡を、その頭と心と腕で遂行することだけを願っているのだ。

ローマの民はなんという高みに立っていたことだろう。そしてその高みになんと巨大な寺院を建造したことだろう。戦争を企てそれを遂行するための彼らの国家と戦争用の設備、それは世界にとってあまりに巨大なものだった。ローマで生じた悪行が他愛もないものだったとしても、三つの大陸で血が流される原因となった。そしてこの帝国のお偉いさん方はどこにどのようにして、世界に働きかけただろう。この巨大な機械の手足となる部分が、どれほど人知れずに軽々とその力を発揮したことだろう!彼らの全ての道具はどれほど高いところへと運ばれ、設置されたことだろう。元老院と戦術、法律と規律、ローマ人の目的と強さ、それらが彼らの行動を遂行させた。そう思うと私は戦慄を禁じ得ない!ギリシア人が若者を鍛えるための遊戯としていたものを、ローマ人は真面目で強固な制度とした。小さい共和国での局限された土地で催された狭い舞台でのギリシア的な規範は、ローマでは強さが伴いながら高みへと昇り、全世界の見世物となったのであった。

この事態をどのように捉えようとも、それは「古代世界の運命の成熟」であったことは間違いない。樹の幹は一層高く生えて枝を伸ばし、諸民族や諸国家をその影で覆おうとした。ギリシア人、フェニキア人、エジプト人、東方人と競おうとするのは、ローマ人の主要な目的では未だなかった。だが、それら全てを雄々しく応用することによってなんたる壮大なローマの世界が形成されたことか！ローマの名が、それまでは名前すら知られていなかった諸国民と諸民族を繋ぎ合わせた。ローマ人、ローマの軍団、そしてその法律がローマの属州においてそこの習俗、道徳と悪徳の規範となった。国と国を区分けした壁は打ち壊され、全ての国民性は壊され一つにまとまった。それは「ローマ民族」であった。もちろん事の第一歩でそれらが成就されたわけではない。どの国家も、己の法と自由と風俗と宗教を失ってはいなかった。むしろローマ人は彼らに媚びて、自分たちの偶像をローマへと持ち込むことさえ許可した。だが壁は壊されたままだった。ローマによる数世紀の支配は、支配したあらゆる地域に痕跡が今も見られるように、世界に多大な影響を与えた。それは正しく嵐であり、全ての民のその国民的な考え方の内側まで押し寄せていったのだ。時の経過とともにお互いの結びつきはより強固なものとなった。だがやがて全ローマ帝国はローマという一つの町にまで縮小していった。全てのローマ国民がローマ市民となり、ついには帝国自体が滅びた。

私は今のところその影響についてだけ述べ、彼らの長所も短所も言及していない。全ての民族がローマの軛《くびき》の下にあって、いわば元々の民族であることをやめて地球全体に一つの政治制度、一つの戦術、一つの国際法が導入されたのならどうなっただろうか。その前例は未だないのだが、機械が停止して崩れ落ち、その瓦礫がローマの支配する全ての国を覆ったのなら、数世紀に渡る全ての歴史においてこれほど見るに値するものはなかったであろう。全ての国が、この瓦礫から、或いは瓦礫の上に再び建設を始める。言語と風俗と嗜好と民族から成る全く新しい世界が出来上がる。新しき時代が到来し、それにおける新しい諸国は、新しく開けた海を眺望するかのようである。ところで我々が駆け巡ってきた歴史における諸民族について、もう一度岸辺から一瞥の眼差しを向けてみよう。

一．私ほど、性格を一般的に論じていくことの問題点を痛感している者はない。一つの民族、一つの時代、一つの地域について論じ描いていくとする。だが結局それは何を述べたというのであろう?次々と生じてきて大海の如くいつまでも交代していく民族や時代を要約してみたとする。だがそれは結局何を述べたものとなるのか?説明しているつもりの言葉は、結局のところ何を捉えているというのか？一般的な言葉でまとめあげた所で、各人が様々に考えたり感じたりするだけであろう。論じ描くといった所でそれは所詮不完全な手段に過ぎないのだ！誤解されてもやむなしというものだ！

人間の個性のその多様性や異質性を言葉で説明するのがどれほど言葉で難しいものであるか、

気づいた人はいるのだろうか?彼らがどのように感じ、どのように生きて、どれほど全てが他人と違って自分固有のものになるのか、それを自分の目で見て、自分の魂で測り、自分の心で感じ取った後だと、それが如何に難しいか気づかざるを得ない。単なる一国の性格にも深い奥行きがあり、その国民性を十分に捉え驚嘆の目を向けていても、言葉で表すとなるとそれを全て込めた的確な表現は到底思い浮かばない。たいてい言葉で説明するとなると、誰にでもわかりやすく、共感されるような言葉上の表現など滅多にないものだ。それはあたかもある一人が世界中全ての民族、時代と土地を見渡し、それを一瞥するだけで、一つの感情、一つの言葉で把握しようとするようなものである!そんなものは薄められた、中途半端な言葉の影絵に過ぎない。生活様式、習慣、必要性、土地や空のその特徴も付け加えられ、或いは事前に述べ描いておかなければならない。一国民のその性向や行為のただ一つだけでも、そして全て感じるには、まずその国民と同調し、一つの言葉を見つけ出し、その言葉に潜む意味合いを隅々までに味わい、あらゆる側面から考察しなければならない。でなければ単なる言葉の表面的解釈に終わってしまう。

――我々は皆、先祖から受け継いだ家庭的で人間的な衝動を東方人と同様に持っていると今なお信じている。エジプト人が所有していた誠実さと労働技術の勤勉さを持つことができると思っている。フェニキア人の活発さ、ギリシア人の自由への愛、ローマ人の精神的強さ、時の機会さえあれば、こういった素質を誰が有していないと思うだろうか。だが読者諸君よ、見よ、今我々にとってのその時と機会が到来しているではないか。卑怯者の悪漢でさえ高潔な英雄となりうる素質と可能性をわずかにせよ持っていることは疑いのないことだ。だがそういった可能性があることと、現にその性格を有しているという確たる感情を持つことは途方もない差がある。それはつまり君の能力と本能を東方人、ギリシア人、ローマ人的なものに変えるという機会と時が単になかったということになるのだが、それにはやはり途方もない差がある。すでに仕上がった能力と本能だけが問題なのだ。魂に宿る全ての本性は全てを支配し、他の全ての性状と精神の力をそれに類似したものに変え、瑣末な行為すら自分の色合いを染める。このことを自分の身で感じるには、言葉だけを読んで答えるべきではなく、時代の中へと、風土の中へと、歴史全体へと入り込み、その一切において自分の心身を埋没させなければならない。それによってしか説明された言葉を完全に理解することはできないのだ。一方それによって、個々のもの或いは全体のものは全て自分のものであるという思い上がった考えは消え去るだろう！全てが君のものであるというのか？君こそが全ての時代と民族の真髄だとでもいうのか？それこそ愚かだというのだ！

諸国民の性格！それはその制度と歴史における事実のみによって決定しうる。ある族長は、君があるだろうと思っていた性格の他に別の性格を有していたではないか？あるいは持ち得たではないか？もちろん！そう二つの質問に私は答える。もちろん、彼は副次的なものも持っていた。それは私が述べたことにしろ述べなかったことにしろ、そこから自明なものと推測できる。それは私ではなく、族長に関する歴史を思い浮かべる者も言葉の説明でそれを認めてくれるだろうし、さらに他の場所、他の時間で教育が進んでいき、異なった環境や状況であったのなら彼はもっと別の性格を持つこともありえただろう。そうであるならばなぜ、レオニダスやカエサル、そしてアブラハムは我々の時代において慇懃な紳士たり得なかったのか？実際あり得たのだ！しかし実際は違った。それは歴史に問うしかないが、その歴史的事実だけが問題なのだ。今諸民族や諸時代の大まかな論を述べたので、そこから細かいことを論点とする反論について述べていきたい。いかなる民族もそのままの状態であり続けなかったし、あり続けることができなかった。いかなるもの、芸術や学問、この世の全てはそうではないか？どの民族にも、成長と開花と衰退の時期がある。こういった変遷していく各々の時期が人類の運命という時の川に居られるのは最小の時間しか許されなかったのだ。結局のところ、この世界において全く同じ瞬間が二つあるというのはあり得ないことだ。故にエジプト人もローマ人もギリシア人もあらゆる時代で同じものでなかったのだ。これに関して高い知性を持つ人たち、殊更歴史に精通している人たちがいかなる反論をするのか、ということを私が考えると身ぶるいを禁じ得ない。ギリシアは多数の国土で成り立っていた。アテネ、ヴィオティア、スパルタ、コリントスの人々は、お互い全く似ていなかった。アジアにおいても農耕は行われなかったのか？エジプト人もフェニキア人と同様に、商売を営まなかったか？マケドニア人はローマ人と同様に他国を征服しなかったか？アリストテレスはライプニッツと同様に、思弁的な頭脳を持っていなかったか?我々の北方の諸民族は、勇敢さにおいてローマ人をも凌駕していなかったか?エジプト人も、ギリシア人も、ローマ人も大ネズミと小ネズミとが互いに同じであるように、皆同じなのではないか?そのようなことはない!だがネズミはネズミに違いないのだ。

学問に疎い一般人に対して語るとなると、叫び声を上げるような人々から(思索的な思慮ある人々は沈黙するとしたものだ)いつもこのような、或いはもっと煩わしい反論を受け、しかもその口調が聞くに堪えないもので、そのことを考えると不愉快な気分になるものだ。さらに、右も左もわからぬ羊の大群が、その反論が正しいとすぐに思い込んでしまうものだ。全体を相互に関連させ、まとめ上げることなしに事柄の全体像をどうして把握できよう?高みに立たずして、遠くまで見渡せるものか?像に顔をくっつけ、そこの切れ端を削ったり、そこの色の塊をつまんでみても、その全体像を決して見ることはできないだろう。そもそも像であるかすら分からない。ある特定の集団に夢中になって、君の頭がそれでいっぱいである時、君は果たして移りゆく時代の全体像を果たして捉えられるのか。そしてそれをまとめて、ゆっくりとその経過を追跡していき、各々の箇所の主要な箇所だけを取り上げ、移りゆくものはそっとそのままにしておく、といったことが果たしてできるだろうか?更に言うなら、それに名前をつけねばならないのだ!そういったことを君は一切できないだろう。歴史は君の前でキラキラと輝きながらゆらめいている。様々な場面、民族、時代が君の眼前で錯綜している。まずそれを読み、見ることを心がけ給え。無論、私は全体像や普遍的な概念などというものは抽象的なものに過ぎぬことを君と同様に知っている。一つの、或いは全ての国民のその多様性について考え、なおかつその統一性をも失わないでいられるのは、創造主だけがやれる行いなのだ。

二．そういったわけで、目的も観点も誤っている上のようなつまらぬ反論は無視し、それを継起する大きな全体の意図に放り込んでしまえば、我々の時代のはるか昔の移ろいで行った諸国民の長所や徳や幸福を学校から学んだ一般的な概念から判断を下そうなどという今の流行は、いかに惨めなものかわかるだろう。

人間の本性が善において自立した神でないならば、それは全てを学び、進歩を通して教育されていき、徐々に戦いながらますます先へと前進していかなければならない。もちろん、その本性は徳、戦、進歩に関してこういった機会に遭うならば、様々な側面から教化されていく。だからある意味、全て人間の完全さというのは国民的で、世俗的で、よく見れば個人的なものである。時間、風土、必要、世界、運命の誘因がなければ何も形成されることはない。残りのものにそっぽを向いていては、胸にまどろんでいるような性向や能力は決して熟達することはない。だから国民は、ある側面では崇高な類の徳を持っていても、別の側面では欠点を有し、例外をなし、矛盾や不確実な側面を示し、それが見るものを驚かせる。だが自分の時代の啓発書から幻のような道徳的理想像を持ち出し、どこか小さな地球上の一点から地球全体を見渡そうというような哲学を持っていると自惚れた人でもなければ、それは格段驚くようなことでもないのだ。人間の心情を自分の生活環境から引き出そうとする人ならば、このような例外や矛盾というのは実に人間的なものだと知っている。ある目的を達成するためにはそのための力と性向が均衡を保っていなければならず、そうでなければ成就することなどない。したがって例外や矛盾は例外や矛盾ではなく、むしろ規則なのだ。

友よ、あの子供らしい東方の宗教が、人間生活の最も柔和な感情が付随するにあたって、別の側面ではそれが弱点として顕在化するわけだが、君はそれを別の時代を基準にして断罪しようというわけだ。ある族長はローマの英雄ではあり得ず、またギリシアの競争者や沿岸の商人でもあり得なかったのだ。同様に、君の教壇で出来た理想なのか、気まぐれで出来た理想なのかは知らないが、それに誤った称賛を与えたり、こっぴどく断罪するというのも見当違いだ。彼が死を恐れ、柔弱で、無知で、怠け者で、迷信であったのならば、それを後世の規範で照らし合わせてみると君が怒りっぽい性格ならそれこそ我慢がならぬものと思われよう。だが彼は、神、風土、時代、と世代の段階によって作りえた族長なのだ！だから彼は、後世には喪失されることになった無垢と神への畏怖と人間的なものを持っていたのだ！この点で彼は後世のあらゆる時代にとって永遠に一人の神であるのだろう。エジプト人は奴隷のように這いつくばっていて、それはまるで地を這う動物のように迷信に囚われ、情けない顔をしていて、よそ者に対しては冷たい。因習に囚われて、自分の頭で考えるようなことはしない。そのため、軽快で全てが美しく象られたギリシア人と比べられ、またあらゆる知恵を頭にあらゆる世界を胸に抱える我々の時代の高尚な趣味に生きる博愛主義者と比べられ、馬鹿にされることもある。奇妙でけったいな様相だ。だがエジプト人の辛抱強さ、誠実さ、揺るがぬ沈着さというものは、ギリシア人の少年愛や美しいもの、快適なものになんでもかんでも手を出すような若者の情熱と比較できるものなのか？それにギリシア人の軽妙さゆえに、彼らが宗教を真面目に取り扱わず、ある種の愛を欠き、秩序や実直さもどこか歪んでいる。そのため、誰のものかはともかく君がある理想を掲げようとするのなら、ギリシア人のこういった性質的欠陥に気づかぬはずがない。だがこういった欠点なくしてはあの完全さも、これほどの程度まで仕上がることが可能であっただろうか？君にもわかるように、摂理自体はそこまでの要求はせず、摂理は新しい力を喚起する一方、既にある他の力を喪失させ交代と進歩することによってのみ、その目的を成就しようとしたのだ。北方大陸の哲学者よ、今世紀の子供じみた計測器を手に持って、その摂理よりも自分たちの方が優れていると自負しようとでもいうのか？

古代の寵愛されし一民族を見つけ出してはそれに惚れ込み、それを起因にして称賛と非難を有無を言わさぬ口調で世界に轟かすなど、そんな権利が君たちにあるとでもいうのか？あのローマ人も比類なき民族であり得たし、だれにも成就できぬことを成し遂げたかもしれないのだ。彼らはローマ人であったのであり、世界を眺望できる高みに彼らは立ち、周囲の全ては谷に沈んでいるのが見える。若くして高みに登り、ローマ人的な気質に育て上げられ、それによって世界の征服を企てたのだ。なんの不思議があるというのか？また地上の谷間における小さな遊牧民や農耕の民が、ローマ人のように鉄さながらの生き物でない彼らがローマ人のような行いをできなかったことになんの不思議があるというのだ?だがその一方、この民が最も高貴なローマ人ですら持ってなかった道徳性を持ち、そのローマ人が高みにおいて必要に迫られて、冷酷なまでに残虐行為を働いたことを、これまた小さな谷に暮らす遊牧民は思いもしなかったとして、それにはなんの不思議があろう。あの巨大な機械の頂に立てば、残念ながら他を犠牲にすることは些細なことであり、必要やまれぬことであり、また時には（哀れな人類よ、お前たちはどこまで残酷になるというのだ！）それが慈善行為ですらあったのだ。悪徳をはるか遠くまで運ぶことのできるその機械は、善徳もまた高く押し上げ、その作用も遠くまで波及させたのだ。人類は、今のような状態で純然たる完璧さになること適うのだろうか。山頂は谷間に接する。高貴なスパルタ人の周りには、人間として取り扱われなかったヘイロータイ[iv]たちがいる。神々しい朱さで染まったローマの凱旋将軍は、目には見えぬが血に染まっているのだ。略奪、冒涜、肉欲がその車の周りに渦巻いている。彼の前には弾圧が行われ、惨めさと貧困が彼の後方に付き従っている。だからこの意味でも、欠乏と徳が人間の古小屋に一緒にいつもいるのだ。

　美しい文芸芸術は、地上の寵児である一民族を、人間を超えたような輝きで照らす。人間は美しい偏見によっても高貴なものとなりうるのだから、文芸もまた有益なものだ。だが詩人が、よく彼らが自称することではあるが、歴史を描写し、哲学し、己が時代のある要素（それは大抵非常に瑣末で弱々しいものだが）を用いてあらゆる時代を象ろうとするのならば、それは愚かな行為ではなかろうか？ヒューム、ヴォルテール、ロバートソンといった黄昏の亡霊がそれなのだが、その彼らが真理の光によって照らされたらどうなるというのか？

我々の時代のある学会が[10]疑いもなく高邁な意図を持って問いを出した。「歴史人においてどの民族が最も幸福であったか」という問い。私がこの質問を正しく理解し、それが人間として答えられる範囲内にあるとするならば、以下の回答を出すことしか考えられない。ある時代のある状況の下では全ての民族は幸福な時期もあったのであり、もしそうでなければ全くなかったのだ、と。つまり人間の本質は哲学者が定義づけするような、絶対的で非依存的で不変化の幸福を入れる器ではないが、その一方四方八方から幸福を数多に可能な限り引き寄せる。それは多様な状態や欲求や抑圧において、変幻自在な形をとっていく粘土のようなものである。幸福の像それ自体が、状況や風土によって変化する（というのも、幸福の像は欲求を満たし、企てを成就し、必要の穏やかな克服等の総和以外の何物でもなく、その欲求や企てや必要は国と時代と地域に応じて形作られていくからである）。結局のところ、あらゆる比較は好ましいものとは言えない。幸福の心の受け取り方や嗜好が変わるや否や、また機会や必要といった外部

10（ヘルダー注）諸氏は恐ろしく高邁な理想を抱いていたに違いない。なぜなら私の知る限りでは、彼らの哲学的課題はかつて達成された例がないからである。

の事情が変化しそれが別の心を形成し強固されるや否や、多様な世界における多様な心を多様に満足させるのをどうして比較することができよう?·東方の遊牧民と父、農夫と職人、船員、競争者、世界の征服者、それらをどうやって比較できるというのだ?月桂冠、祝福された家畜の群れの眺め、商船と略奪された旗といったものは大した問題ではない。だが精神やその精神が必要としたもの、求め獲得し、それ以外は何も獲得しようとしなかった精神が何より問題なのである。どの球形にも重心があるように、どの国民にも幸福の中心点があるのだ。

善良な母なる自然はここでも良き配慮を示してくれた。彼女は心に多様性に関する様々な素質を配置してくれたのであり、授けてくれたそれら全ての素質は普段そんなに必要としないものであった。そのためその素質のいくつかの発揮で事足りたとき、魂は呼び覚まされたこれらの音から調和を鳴らし、呼び覚まされなかった音については表面には出現しないまま、暗闇において静かに奏でられている調音を支えていることが感じられるだけである。自然は多様性の素質を人間の中に植え付けた。そして今、多様性の一部が我々を取り巻いており、我々の手中にある。そして人間の視力が現代では弱まり、短い時間で己の環境に慣れるとその領域が視界の限界と彼女はした。領域の向こう側は見ることなく、思いを馳せることもない!まだ私の本性と同質なもの、それに同化できるものがあるのならば、私はそれを羨み、それを得ようと骨折り、我が物にしようとする。だが私の能力を超えるそれ以上のものは、無感覚、冷淡、盲目によって自然は私を保護してくれた。そのようなものは軽蔑的で嘔吐を催させることもある。

自然が私を私自身へと押し戻してくれたのは、私が私自身によって満足するために他ならない。ギリシア人はエジプト人から、ローマ人はギリシア人から各々にとって必要なものを受け継いだ。そしてそれに満足し、残りのものは落ちるに任せ求めようとはしない。また固有の国民性が固有の幸福へと向かうように象られ、民族同士の隔たりがあまりに大きなものとなった場合は、エジプト人は遊牧民を放浪者としてみなし侮蔑するだろう。気性や幸福の領分が異なる二つの民族の間では、常にこういった事態が生じ、偏見だの粗野だの偏狭なナショナリズムだのと言われるようになる。だが偏見も、その時代においては結構なものでもある。幸福をもたらすからだ。それは民族を結集させ、結束をより強固なものとさせ、各々の個性をより燃え盛らせ、国民性に基づいた企ての成就により熱狂にさせる。この点で最も無知で、偏見に取り憑かれた民族が、最も大きな力を持ったりもする。異境を彷徨うような願望を持ち、外国を巡業してみようと思わせる時代は、すでに病的で、鼓腸で、不健康な肥満で、死を孕んでいる。

三．そして今世紀における一般的な哲学的で、博愛主義的な流行はどんな遠くに離れた国々でも、またどれだけはるか昔の時代にも、我々の時代の理想を善人面そして道徳と幸福とに押し付けようというのか？彼らの習俗を自分勝手に判断し断罪し美しく創作するような裁判官であると自惚れているとでもいうのか？善は地球上に散在しているではないか？人類の一つの形態と一つの地域だけでは把握することはできず、それは無数の形態に分かれて、あたかも永遠のプロメテウス[v]のように、世界のあらゆる場所とあらゆる時代へと散らばっていくのだ。そしてそれが絶えず変化し続けていくということが、個々人の徳と幸福を増大せしめる。それこそが善の目的かもしれない。人類は人類でしかない。だがそこから人類の進歩の企てが明らかになってくる。それこそが私の研究テーマだ！

従来、時代の進歩に関して論じようとした人は、多くの場合寵愛の観念を抱きながら歴史の旅に出た。個々の人間の道徳性と幸福が継続して増加するものと思いながら。そのために既存の事実を誇張させたり、でっち上げたりして、意に反する事実はわずかしか考慮せず、無視したりした。あるいは何ページでも隠してしまったりした。一語一語を取り上げて、啓蒙を幸福なものとし、観念がより上品になればそれを徳とした。かくして、世界は全面的に絶えずより良くなっているものだというロマンチックな話が出来上がったというわけだ。だがそんなもの誰にも本気にしなかった。少なくとも歴史と人間の心を真に学ぶ者にとっては。

一方、こういうロマンチックな夢想話の出鱈目に気づきつつより良い代替案がない人々は、善徳と悪徳は天気のように移り変わってゆくものだと考えた。葉の茂り具合で春の去来がわかるように、人間の完全性の生成と消滅も計測できるものであり、人間の徳と性向も葉のたどる運命のように、飛び散っては地面に舞い落ちていく。何の計画も、何の進歩もなく、永遠に変遷していくばかりだ。織っては破られる、ペネロペ[vi]の機織りのようだ！こうしてこういった人々は混乱し、あらゆる道徳や幸福や人間の意思決定に関して懐疑主義に陥り、全ての歴史や宗教、道徳論もその懐疑主義の中で錯綜していく。フランスの哲学者たちは最近懐疑することを流行らせている。[11]その懐疑というのは、無数の形を取っているのだが、どれもこれもが「世界の歴史から」という目が眩むばかりの表題がついている。矛盾が海の大波のように荒れ狂い、人は難破する。そしてその難破船からなんとか救いあげられた道徳や哲学は、語られる価値はほとんどないときたものだ。

すでに明らかになっている進歩や発展は、実際は人が口にしている以上にもっと高い意味を有しているのではないだろうか？川が流れ続けているのが見えるだろう。それは小さな水源から流れ出て、川はどんどん大きくなり、途絶えたかと思うほど小さくなるとまた大きくなり、うねり、広がり、深く掘り進んでいく。だがそれはあくまで水の流れにとどまり、海へと流れていくまでは雫に過ぎない。人類もまたそれと同様ではないだろうか？それとも君にはあの成長しつつある樹が見えないだろうか？上へと昇ろうとしている人間にそれが見えないだろう

11（ヘルダー注）懐疑主義はあの敬愛すべきモンテーニュを始祖としている。弁証家のバイルは理屈っぽく論考するが、彼の考え方を示す彼の著作『歴史批評辞典』において説明されている懐疑的な反論方法は、クルーサズやライプニッツにもできないことであった。その著作はさらなる世紀にもその影響を及ぼした。それに次いで現れた哲学者たちは、独自の理論を大胆に用いてあらゆることに疑いを示した。ヴォルテール、ヒューム、さらにはディドロまでそうだった。まさしく今世紀は懐疑という波が大きく渦巻く時代と言えるのだ。

か?それは様々な時代を通していかなければならない。どの時代も明らかに進歩している。継続して相互に求めている。時代の間には休息や革命、変動があるように見えるが、どの時代も幸福の中心的を自分の内に持っている。青年は無垢で満足した幼児よりも幸福なのではないし、安息している老人は熱心に努力している壮年の男よりも不幸だというのでもない。振り子は大きく上がればその分早く落ちるもので、ゆっくり動けば静止に近づくこともあるが、いつも均等な力で揺れ動いているものだ。しかしそこには永久に変わらない努力が見受けられる。誰も自分の時代に一人で生きているわけではなく、先にあったものを彼は築いてゆき、それもまた未来の礎になるに他ならず、それ以外のものにはなろうとはしない。自然のあらゆる働きは神の痕跡が宿るのだが、その自然はこのようにして語るのだ。そしてそれは明らかに人類においても当てはまる。エジプト人は東方人なしにはあり得なかったし、ギリシア人もエジプト人を土台としたし、ローマ人は世界全体の頂に立った。それはまさしく前進であり、絶え間ない発展である。例え個々人がそれで何か得られるわけではないにしてもだ。それは偉大へと向かう歩みである。表層的なだけの歴史もこのことを自慢げに語るが、その具体的な実態についてはほとんど示さない。それは地上において摂理によって用意された舞台なのだ。我々がその究極的な意図は分からないとしても、そしてそれが瓦礫の隙間から覗くこと叶わないとしても、それは神の舞台なのだ。

少なくともこのようにして見る方が、まだ遠くまで見渡すことができる。少なくともあの哲学、ごちゃ混ぜに錯綜して、あちこちに行って、もつれさせたまま論を展開しそれがあたかも無数のアリが蠢いている様になっているあの哲学に比べれば。その哲学は個々の性向や努力を無目的に徒に力を浪費するだけのものとし、ただ混乱を引き起こし、徳や目的や神にまでも絶望を催させるものだ！この散り散りになった場面を錯綜させずにつなぎ合わせ、それらが相互に関係し離れては融合し、各々の場面は儚く全体の目標への進行の手段の一つとなっているのを見るのは、なんという光景だろう！人類の歴史のなんという高貴な応用だろう！例えば全てが見えないにしても、あるいは全く何も見えないにしても、それは我々に希望を持たせ、行わせ、信じさせるだけの大きな励ましを与えるのだ。話を先に進めよう。

# 第二章

ローマの世界体制も終わりを迎え、その建築が高いだけに崩れ落ちる様は凄まじいものだった。世界の半分は瓦礫と化した。世界の諸民族や大陸がこの木の下で生きていたわけだが、その木の神聖なる番人が「その木を薙ぎ倒せ！」と叫んだ。単純で大いなる空虚さ！世界の事態を紡ぐ糸が裂かれたかのよう！今やその糸を再び元に繋ぐために、新しい世界の誕生が必要とされていた。

その役目を果たすのが北方人だった。北方諸民族の状態についてどのような起源と制度が考えられようとも、一番単純なのが真実に近いように思われる。平時においては、それはいわば北方における族長制度であった。そこの風土では東方人のような遊牧生活は到底無理なのであり、自然が人間に大きな恵みを授けた地域に比べて、そこは日常の重苦しい必要によって人々の精神は抑圧されていた。東国や南国の暖かく芳香な温室に比べて、北の国の空気と日常の厳しい生活によって人々は鍛えられたのだった。無論、それゆえに彼らの性格は粗野であり、小さな集落はお互い隔てられより未開のままだった。だが人間同士の絆はまだ強く、人間の衝動と力はまだ充溢していた。それで北方の国は、タキトゥスが描写しているものとなった。この民族が震動させられた海の波がごとく行動に移ったら、それは波が波を追うように民族が民族を追い、ローマを囲う城壁や堤防は破壊された。ローマ人自身が彼らにそこの間隙を示し、それを修理させるために誘い寄せたのだ。結局全てが破壊されて、北方民族が南の国へと怒涛の勢いで押し寄せていったのだ。全てが転覆され、非道な限りの行為が行われたが、そこから驚くべき北南世界が誕生したのだ！

ローマの最後の世紀におけるその土地の状態に注意を払う者は（それが世界そのものですら当時あったのだが）、摂理が人間の力を奇妙な仕方で補充しようとするそのやり方を見て、驚きの念を隠すことはできないだろう。全ては汲み尽くされ、無力化され、めちゃくちゃになっていた。まともな男はいなくなり、残ったのといえば腑抜けた男たちだけで、彼らは贅沢にふけって悪徳に溺れ、恣に行動して戦士としての粗野な傲慢さでいっぱいだった。美しいローマの法律や知識も、失われた力の補いにはならなかった。それを回復しようにもそのための生気はもはやなくなり、発条を動かすことができなくなったのだ。かくて死がやってきた！力尽きて、血まみれになった死骸が横たわっていたが、その時北方において新しい人類が生まれた。澄んだ空の下、未開の砂漠において、誰も予想だにしないことが起きたのだ。春が酣《たけなわ》となり、そこで栄養分の多い植物が萌え出て、それがもっと南の方にある美しい国々（もっともその時は悲しいほど不毛な荒野だったが）へと移され、新しい自然が受け入れられ世界の運命のために大きな収穫をもたらすこととなった。ゴート人、ヴァンダル人、ブルグンド人、アングル人、フン人、ヘルール人、フランク人、ブルガール人、スラブ人、ロンバルディア人がやってきて、そこに定住するようになる。地中海から黒海に、大西洋から北海にかけてできた新しい世界が彼らの職場であり、その民族の生活場と統治制度が行われるようになるのだ。

単に人間の力だけでなく、世界形成という舞台に彼らはいかなる法律と制度を持ち込んだであろう。元々彼らは、人間を破滅させるものとして芸術や学問、奢侈や上品さを忌み嫌った。だが彼らは芸術の代わりに自然を、学問の代わりに北方人の健全な知性を、上品なものの代わりに粗野なものではあるにせよ強きもの善きものをもたらした。そしてこれらが一つになって発酵する時、それはなんという事件だっただろう。彼らの法律には、なんと人間的な勇気、栄誉の心、信頼と知慮、誠実さと神を敬う気持ちが息づいていることだろう。いかに彼らの封建制度は、人間が密集している奢侈的な街を打ち倒し、そこに人間の手の営みによって新しい国土を建築し、健康であると同時に自足した民衆を形成して行ったことだろう。彼らが後に抱く理想は生活の必要を超えて行ったが、それは貞淑さと栄誉に向かったものであり、人間のもつ性格の最良な部分をより高貴なものとした。所詮はロマンチックな空想だったかもしれないが、高邁なものでもあった。人間精神の真実の新しい花であった。

例えば次のように考えてみよ。人間はこの発酵の数世紀において、皆小集団に分かれて、色々な分派をなし、無数の人員によってそれが構成されたのだが、それがどれほどかつての世界の瓦解からの復興するための時間を作り、力を鍛えることができたことだろうか。一方と他方は擦り合うほど密接し、力と呼吸が常々そこに見出される。それは発酵の時なのだが、それが専制政治の発生を長い間防いだのであった（専制政治というのは人類の仇敵なのだ。それは人を従順にし休息をもたらすとされるが、その実は人を悉く噛み砕いて死へと追いやるものだ！）。ところで、冷血で愚かですらある巨大な機械の死んだ歯車を作り出すのと、己の力を喚起しそれを発揮すること、果たしてどちらが健全であり、有益だろうか？いわゆる不完全な制度や無秩序、野蛮な名誉心、粗野な喧嘩っ早さとかそういうものによってその力が形成されるとしても、まだましであることは間違いない。肉体は生きているが精神が死んでいる死人のような状態であるよりは。

ところで摂理は、北と南の気質を調合した体液を発酵させるのにそれに混ぜる新しい酵母を設けたのだった。それがキリスト教であった。キリスト教が世界のバネであったと私が主張するにあたって、このキリスト教の時代における人々にわざわざ許しを乞う必要はないだろう。キリスト教を善または悪のため、あるいはなんのためであれ、酵母として、パン種として見なそうとも問題はないであろう。

そしてこの点において二つの側面で誤解されているが、それに少々説明を加えたいと思う。古代世界の宗教は、東方からエジプトを経由してギリシアとイタリアへと伝来した時、それはあらゆる点で生気も香りもない代物であったのであり、あるべきはずの実質を失った生ける屍であったのだ。ギリシア人の後の神話や、ローマの政治的な性質をもつ民族宗教を鑑みれば、それは明らかだろう。そして世界における道徳の原理がもう一つあろうなどとは考えられないことだった。祖国のために身を捧げるローマ的な輝かしさはもはや色褪せたものとなり、今やただ耽溺の泥に身を浸かり、非人間的な戦争好きが残るばかりであった。ギリシア人の若々しい栄誉心と自由への愛、それは今やどこに行ったのか？古代のエジプト人の精神は、ギリシア人とローマ人がその国土に巣を作った時、どこに行方をくらましたのだろうか？それに代わるものはどこから来るのか？哲学はそれに何者も与えることが出来なかった。哲学はソフィストの道具、討論のための技術、力と確実さのない意見の寄せ集めでしかない。朽ちたような木製の機械にボロ布を被せただけだから、そのようなものは人間の心に訴えることはなく、ましてや衰退した世紀や落ちぶれた世界を再び取り戻すことなど到底できるものではない。今や諸民族を瓦礫から再び復興させる必要があったが、その際宗教が必要とされる状態にあった。それによって導かれるのだが、迷信じみたものが彼らの精神に入り込んだ。そしてこの新たな民族が新たな舞台に上ると、今度は彼らが軽蔑するか理解を超えたものしか見出すことはできなかった。ローマの神話と哲学、それは彫像や道徳的似姿であった。そして彼らの北方宗教は、北方風に形成された東方からの残存物ではあったが、それだけで彼らは満足しなかった。新鮮で力をもつ宗教が必要なのであった。ちょうどそれより少し前にある場所で、摂理はその宗教を生じさせた。人は西洋世界の補いとなるものがまさかその地方から誕生しようなどとは、ほとんど予想していなかった。ユダヤの裸の山々からまさか起ころうとは！この全く無名の民族が滅び去る少し前、それはこの民族の最後の、もっとも惨めな時代であったのだ。実に不可思議な形でそれが生じて、それが維持され、同様に不可思議な形で峡谷や洞穴を遠く渡って世界の舞台へとその姿を表した。世界はその宗教をとても必要としていたから、その宗教がどれほどの影響を及ぼしたことか！実に、不可思議と言うべき世界の出来事であった。

ユリアヌス帝の下で、極めて有名な最古の異教と新たなキリスト教がまさに世界の覇権を争うその様は、偉大で実に見応えのあるドラマであったに違いない。宗教（それは彼のみならず誰の目にも明らかだった）、本来の意味での宗教は衰退した彼の世紀において必要不可欠なものであった。ギリシアの神話とローマの国家的な儀礼、これもまた彼は気づいていたことだが、それらだけではその世紀で彼の目的を成し遂げるにはまだ不十分なものだった。だから彼は出来る限りのことをした。自分の知っている最古で力強い宗教、東方の宗教にも手を伸ばしてみた。それに潜むあらゆる奇跡の力、魔力、幻影にも手をかけた。もはや宗教というより呪術的なものとなった。またピタゴラスやプラトン等の哲学にも出来る限り頼り、全てを上品に理性で飾り立てようと努めた。豪華この上ない凱旋車にそれら全てを載せて、権力と陶酔という二匹の獰猛な動物にそれを引っ張らせ、極めて洗練された政策でそれらを導いていこうとした。だが全ては骨折り損であった！それは打ち倒されてしまった。かつては奇跡を起こし得たものは今や惨めに装飾された死骸となっていたばかりであった。裸の、新たな宗教、キリスト教が勝利を収めたのであった。

こう描写していくとまるで無関係な人間が考察しているかのようであるのは、読者諸君も感ずることであろう。あたかもイスラム教徒やその奴隷であるマムルークが描写していると思われるかも知れぬが、ともかくこのまま続けるとしよう。

だがこのような摩訶不思議な形で生まれた宗教は、否定し難いことだが、それがその創始者の意図にしたがって（全ての時代に適用されているかどうかまでは言わぬが）、人間の本来の宗教、愛の衝動、全ての国民を一つの共同体としてまとめるものとなるべきであった。その目的は終始変わることはなかった。同様に確かなことは、この宗教が（信徒たちがのちにそれをどのように変えようとも）極めて純粋な精神的真理、情愛に満ちた義務をいささかも偽善めいたものにせず、また迷信的なものにもせず、虚偽も強制も無しに説いた最初の宗教であった。そしてそれは人間の心を、ただそれだけを、極めて普遍的に例外なしに向上させようと試みた最初の宗教でもあった。それ以前にあった、最上の民族と時代における宗教は、偏狭で偶像や化粧を用いたもので、儀式や民族的な慣習でいっぱいであり、核心をなすはずの重要な義務の内容はおまけ程度に添えられるだけである。要するに、それらの宗教はある民族の、ある時代の、ある地域の、ある立法者の宗教に過ぎなかった。キリスト教は明らかにそれとは反対であり、純粋な道徳哲学、真理と義務についてのもっとも純粋な理論なのであって、あらゆる法律や細かい国家制度から完全に独立したものであった。つまり、それは人間愛に基づいた徹底的な理神論であったのだ。

そのため、それは世界全体の宗教というべきものだった。この宗教が別の時代に、それ以前か以後かにしろ、兆したり現れたり忍び込んだり（なんと呼称しても構わないが）することがありえないことは他の人や、論敵ですら認めることである。人類はこの理神論を受け入れるために、数千年の間に準備し、幼年期、野蛮、偶像礼拝、官能から徐々に抜け出していき、その精神の力が東方、エジプト、ギリシア、ローマ等々の幾多もの民族形態を階段や通路を渡って発展していき、宗教と義務と民族の結合の観念を抱き、概念として把握し、認めることが初めて出来るようになったのである。単に道具としてだけ考えても、ローマの征服精神が先駆する必要があったように思える。それはあらゆる箇所に道を開拓していき、民族間をかつてなかった共通の政治制度で結びつけ、そしてその同じ道で寛容や国際法という観念が前代未聞な規模でもたらされたのである。視野は大いに広がっていき、明るく照らされていった。地上にある十の新しい民族がこの明るくなった地平にその身を投げ、彼らはまさにこの新たな宗教のために全く新たな感受性を備え持ってきて、その宗教を欲し、それらを自己の本質とことごとく融合させていった。それはまさしく酵母であった。それが発酵するために、どれほど不思議な方法で支度されたことだろう。そして全てが支度されたその方法が用いられて目的を成し遂げていった。深く、広く、満遍なくかき混ぜられ、長い期間で強く設えられ、発酵された。発酵し終わることによってなんというものができあがったことだろう。

つまり、これこそが大抵の場合とても賢しげに、哲学的に嘲笑される点なのである。具体的には、このキリスト教というパン種は未だかつて純粋だったことがあるのか、それが特殊で、全て多種多様で、極めて忌まわしい考え方をも練り合わせた部分もあるのではないか？だが、そもそも他の考え方をも混ぜたものこそが、まさしくこのキリスト教の性質なのではないか、と私は考えている。この宗教がその真実の姿において洗練された精神、人類愛の理神論、そういった市民法には決して取り入れられない要素が組み込まれていたことによって、つまりその天上的な哲学、高みにありこの世のものとは思えぬ純粋さによってこそ地上を包み込むことができたとするのならば、この芳香が地上にある物質と混淆してそれを宗教の手段として用いることがなかったならば、そもそも存在することも更にそれが応用されることもなかったものだと私は考えている。あらゆる民族の考え方、その風習や法律、性向と能力も（それが冷酷であろうと温情なものであろうと、善であろうと悪であろうと、野蛮だろうと文明的であろうと）、かつてあった全てのものもそうだった。キリスト教はそういったもの全てを突き抜けて進んでいくことができたし、またそうするべきであった。この世の人間の手でできた国における神の行いが、世界と人間のバネによるもの以外に起因するものと考える者は、哲学的―自然的な抽象観念よりは、夢想的―文学的観念に向いていると言う他ない。自然に類するもの全てで、神は自然以外の作用を持つことはありえたか？だがそれでも神はやはり神ではないだろうか？このように万物の上に注がれ、その一様でその行い全てが誰の目にも映らないながらも作用を及ぼすことこそが、神なのではないだろうか？人間の舞台の上で、人間のあらゆる情念を演じさせてみよ。全ての年代に、己の年代と合致するように情念を働かせてみると良い。それぞれの大陸で、それぞれの民族で働かせてみると良い。宗教は人間によって、人間のためだけにその意図を働かせるべきである。パン種だろうと宝であろうと、それらを己の器に入れて、それに自分のねり粉を混ぜる。その香りが芳しいものであればあるほど消えやすいとしているから、一層多くそのねり粉を混ぜる必要がある。これに反論する意見には、私は人間らしさを見出すことができない。

そのため、単に肉体的、人間的な側面でだけ語るとしても、キリスト教をそれに混淆させることが考えられる最もえりぬきの方法であったのである。それは日々増大していく困窮に対して、キリスト教はそういった貧困に窮している人々の面倒を見たのだから、人の心を捉えることいった業績においてはユリアヌス帝ですら否定できなかったのである。それから後に世がもっと乱れるようになると、キリスト教は世間に流布していた困窮に対する唯一と言っていいほどの慰めとなり、避難所となった（私は聖職者たちがいつも行っている方法で話そうとは思わない）。その上、野蛮人自身がキリスト教徒になってからは、キリスト教はこの世の安全を保障する真の保護者とすらなった。それは吠える獅子をも大人しくさせ、征服者すらも征服した。人々の心の深くまで貫き、広くそして永遠に作用するための、実に好都合な練り粉であったとも言える。それを貫いたのが小国の制度であったのならば、全てを呑み込むことができた。大きな格差のある社会的な階層であったのならば、それらをつなぐ中間層としての役割を持った。ひたすら好戦的な封建制の国においては、学問と司法によって、またものの考え方に影響を与えることによって、社会にある大きな間隙を埋めるのにあらゆる貢献をした。それはもはやなくてはならない宗教となり、戦争することと奴隷的な農耕をすることしか知らない肉体だらけの数世紀において、精神としての役割を持った。信仰心以外に社会の人々を結びつけ、肉体に生命を与えることのできる魂などあっただろうか。運命の会議において、その時代の持つ肉体について議決された時、その当の時代においての精神以外で、議決された肉体の精神について考えるのは愚か以外の何物でもない。この経過は、時代が前進するための唯一の方法だと私には思える。

いわゆるキリスト教は、どの世紀においても自分と一緒に、あるいは自分がその中に存在している国家制度の形あるいはそれに類するものを身につけていることは、誰の目にも明らかだろう。同様に、ゴシック的な精神も教会の中にも外にも浸透し、そこから衣装や儀式、教義や寺院も形成されていった。皆剣を佩《は》いていたので、僧侶杖も剣のように研ぎ澄まされていたし、僧禄、僧領、僧奴まで作られたのは、どこでもそういうものしかなかったからである。聖職者が顕職につき、修道院を作り、僧団を形成し、後についには十字軍さえも形成してあからさまに世界を支配していった、こういった化け物じみた組織が出来上がっていった世紀の経過について考えて見たまえ。それはまさしく怪物的なゴシック式の建築物だ！背負った荷があまりに重すぎ、人の心を圧迫し、陰鬱で悪趣味。そのために地上は沈んでいってしまいそうだった。だが同時にそれはなんと偉大で、豊かで、熟慮され、力強いものだっただろう！私は一つの歴史の出来事について語っているのだ。それは人間精神の奇蹟であり、確かに摂理の道具であったのだ。

このゴシック的な肉体が発酵と摩擦によって、総じて時代に力を掻き立てたのならば、それに生命を与え結びつけた精神もまた、その役割を果たした。そしてそれによって未だない規模とやり方で高度な概念と嗜好が混淆しヨーロッパ全土に広がっていったならば、そこに摂理も絡んでいたことは間違いない。中世の様々な時代における精神について言及することはここではできないので、ここではそれらをひっくるめて最も広義な意味でのゴシック精神、北方的騎士精神と名称しよう。それは数多の世紀と国土と状況を総括した巨大な現象ともいうべきものである。

それはまたいわば、先立って個々の民族や時代が展開させたあらゆる性状の総体とも言える。これらの性状は逆に民族や時代において解消されうるが、全ての民族を結びつけ神が万物を創造したその活動的要素は、各々においてもはや以前と同じものではなくなった。父らしい性状、女性崇拝、消し難い自由への愛や専制主義、宗教や好戦的な精神、厳密に構成された秩序と厳粛さと奇妙な冒険欲、これらが一つへと融合されたのだ。東方、ローマ、北方、サラセンと概念と性状が一緒になったのだ。いつ、どこでそれらが融合し、変化したのか、さらに今そこで、それらがどの程度まで融合し、変化したのか、それは君たちがすでに知っていよう。世紀の精神は多様に織り込み、結びつけた。勇敢さと聖職者的な気質、冒険心と慇懃さ、暴政と高潔さ、それらが一つに結び合わされた。それは今日我々とローマ人の間に、亡霊として、ロマン的な冒険者として佇んでいる。かつてそれは自然であり、真実であった。

人々はこの「北方的な騎士道」の精神をギリシア人の英雄時代と比較して、いくつかの共通的は当然に見出した。[12] しかしその精神そのものは、あらゆる時代において唯一無二のものであり、他では決して見られないものである。人はそれがローマ人と我々の間に（我々がいかなる人間だというのだ）介在するという理由で、おぞましいほどに嘲笑を浴びせた。他方、多少なりとも冒険的な思考を持っている人々は、その精神を全ての精神の中で最高峰なものとした。だが私には、それは世界のあらゆる状態の一つであり、それ以上でもそれ以下でもないと考える。それは先行する精神と、優劣で比較するものではなく、その精神も長所と短所を持ち、それ以前の精神を基礎としつつ自ら永遠の変化と前進をしながら、偉大へと進んでいく。

この時代の暗黒部分はどの本にも記載されている。我々の時代のどんな典型的な知識人は誰でも、我々の世紀の文明開化によって有史以来の人類の絶頂を迎えたものとし、過去の数百年を野蛮で、惨めな国法によって治められ、迷信と愚昧、道徳が欠如し無趣味とことごとく貶し、しかもそれらが学校、別荘、寺院、修道院、市役所、職人組合、山小屋、住宅等あらゆるところにあるものだと考えていた。そして我々の世紀を照らす光を賛美するものの、実際のところその賛美している我らの世紀も軽率さ放埒、観念は熟しているが行動力が伴わず、上辺だけの力や自由、不信や専制や奢侈によって死ぬほどに疲労困憊しているのが現状だ。我らがヴォルテール、ヒューム、ロバートソン、イーゼリン流のどの著作にも、そういうことは山ほど言及されている。こういった連中が混濁した時代から理神論と魂の専制政治、つまりは哲学と安息へと向かっていくことにより世界が啓蒙され、よりよいものとなっていくことを描写するその様は実に結構な光景と言えるだろう。自分の時代が好きで仕方ない者は心の底から笑い出すことだろう。

これらは皆真実でもあるし、真実でもない。真実な場合なのは、子供がするように対照的な色彩を用いて肖像をくっきりと塗り立てていく場合である。だが残念なことに我々の時代はあまりに色彩が多すぎるのだ！真実でない、というのはこの時代の本質と意図、楽しみと風俗を、特に時代の経過における道具として捉える場合である。暴力的な様で出現したり結びついたりしているように思われるのも、しばし強固で、確かで、高貴で、君主めいたものがあったのであり、幸いにも今の時代には道徳はより洗練されたものとなり、組合等は解消され、代わりに諸国同士が同盟し、先天的とされる聡明さと民族愛が地上の端から端まで流布しているので、かつてあった暴力的なものはもはや殆どあるいは全く現代人において感じられなくなったのである。君は当時の奴隷制度を嘲笑するし、同様に貴族の荒んだような別荘を、国が島々のように分かれそこからさらに細分化していくのも嘲笑い、これらに付随するものを君はバカにする。こういう結びつきがなくなるのを何よりも君は称賛し、ヨーロッパとそれとともに世界が自由になったのを君は最大の善とみなす。自由になったって？随分と甘ったれた夢ごとを言う。それだけのことであったならそれが真実でありさえすればいいのだが、次のことも知って

12（ヘルダー注）ハード『騎士道について』

おくといい。あの時代のあのような情勢があったからこそ叡智というものが人類に齎されたのだということを。ヨーロッパに人が住み着き、国家が建設されたのだ。種族と家族、主人と下僕、王と臣下がお互い接見してより力を蓄えたのだ。荒んだ別荘と呼ばれているものも、都市が膨れ上がって奢侈で不健全なものが流布するのを妨げたのだ。都市というのは人間の活力にとっての深淵とも言える。商業と洗練さの欠如は人が放埒になるのを妨げ、素朴な人間性を維持するのに貢献した。結婚生活における貞淑さと多産、家庭内における慎ましさと勤勉性と強固な結びつきがその代表例である。粗野な職業組合や自由の気風が騎士と職人の誇りを養ったが、同時に自己依存の独立心、自分の領分の安全性、そしてそれらの核にある男らしさ、それらが土地と精神の軛という人間性の最大の不幸から救ってくれた。とはいえ、それは島々の団結が解消されると、人々は進んで喜んで再びその軛へと向かうが。しばらく後の時代に、多数の好戦的な共和国と武装した都市が生まれることができるようになる。最初は力が植え付けられ、養分が与えられ、摩擦によって育てられた。そしてその残骸が哀れとすら思われる形で今日も残っている。もし摂理が君たちにあらかじめこの野蛮な時代を贈らず、それゆえに運命の打撃においてもそれらを維持することがなかったならば、開化したと思っているヨーロッパ人たちよ、今頃君たちは我が子を喰らうか追放しているかであり、自慢げに語っている君たちの知恵などなんの役にも立たないことだろう。まさに荒野のようになっていたに違いない。

「光が人を養いなどしないということを理解せぬ者がこの世にいようとは考えられぬ。安息と奢侈といわゆる思考の自由が決して公の幸福を保障せず、使命でもありえぬことをわからないとは！」しかしながら感情、運動、行為こそは、譬え目的がなかったとしても（人間の舞台において永遠に続く目的などあるものだろうか？）、あるいは例え人々の衝突や革命や、人々の感情が狂乱し暴力的なものとなり忌まわしいものとなったとしても、それらが時代の流れの中の道具としてみなされるならば、それらはどれほどの力でどれほどの効力を及ぼすことだろうか！それらは頭ではなく心を育てたのだ。病んだような思想ではなく、性状と本性によって全てを繋いだ。敬虔と騎士道、大胆な愛情や市民的な剛毅さを養ったのであり、それらが国家制度や立法行為や宗教の中へと根付いていったのだ。私はいつ果てることなく続いた諸民族による遠征や略奪、家臣の間の諍いや確執、僧侶軍、巡礼、十字軍等を弁護しようとは思わない。だがこれらにおいてもなお精神が息づいていることだけは君に説明しておきたい！そこには人間の諸々の力が発酵している。暴力的とも言えるほど巨大な動きによって人類全体が大治療を受けるのであり、あえて大胆に言わせてもらうならば運命が（もちろん轟音を鳴らしたし、振子が優雅にぶら下がっていたというわけではないが）止まった大時計のネジを巻いたのだ。かくて歯車はガラガラと音を立てて廻り始めた。

この光に照らしてこの時代を見てみると、それはなんと違った様態が照らし出されることだろう。そしてその時代の多くのことを大目に見なければならない。というのもその時代は常に欠乏と戦わなければならず、向上に努め、それが他の時代以上に激しいものだったのだ。あの時代に対しての無数の中傷が誤りであり、誇張されたものであることに目を向けるのだ。そしてあの時代の悪行とされるのも当時とは無縁の人によってでっち上げられたものか、仮に事実だとしても当時はそれが穏やかなものか不可避的なものであり、対立する善と相殺されるものだったし、当時の人々が思いもしなかったことだが、それは将来の大きな善へと向かうための道具であったことが明らかだというのを現代人は認めるだろう。あの時代の歴史に関することを読み、以下のように叫ばない人はいるだろうか。「名誉、自由、愛、勇敢、慇懃さ、言葉を尊重する性状と美徳、これらはどこへ行ったのか?君たちは深い泥の中に埋もれてしまった。君たちの要塞は柔い銀の粒でいっぱいの砂地の中に埋もれ、そこでは何も生えないのだ。ともかく、多様な側面から君たちの敬虔さや迷信、暗黒と無知、無秩序と粗野な道徳を我々に与え、我らの光と不信、気の抜けた冷淡と洗練、無気力な哲学と人間的な惨めさを持っていてもらいたい。とはいえもちろん山と谷との境目ははっきりさせなければならず、暗くて強固な穹窿は、やはり暗くて強固な穹窿でしかあり得なかった。それがゴシック式というものだ!

人間の運命において見られる巨大な歩み!そこにおいては向上と秩序をもたらすために退廃が先行することだけは認めようではないか。それは大きな歩みなのだ。光が照らされるには、大きな影が必要なのだ。後の発展のために、しっかりと結び目を締めなければならなかった。沈殿物のない純粋な神酒を醸造するためには、発酵が必要であったではないか?このことは今世紀の「人を愛しましょう的な哲学」から直接推測することはできると私は思うがどうだろう。たくさんのゴツゴツした角が力強く摩耗されていき、そこからようやく今世紀に見出されるような、丸まって滑らかな感じ良さげなものが出来上がるのはその哲学者たちが証明しているのではないか？教会の中で無数の残虐さや誤謬、悪趣味や冒涜行為が行われていたが、その後の世紀においてその改善に努め、そのために叫んだり戦ったりしたのであり、そこから諸君らの好きな宗教改革あるいは燦然と輝いている理神論が生まれることができたのではないか？邪悪な国家制度がその車輪によってあらゆる悪行と忌まわしい行為を走らせる必要があったのであり、そこからようやく我々の「国家制度」がその本来の意味において出現したのだ。ちょうど夜と霧から曙光が差し込むように。故に今はまだ自然の美しい光景や秩序や進歩を享受することができ、君のような輝かしい哲学者はこういった経緯の肩に寄りかかっているというわけだ。

だが神が支配する全ての領域において、そこの万物が単に手段に過ぎぬと私は断言できる。全ては手段であると同時に目的なのであり、これらの世紀もまた同様である。時代精神の花とも言える「騎士道精神」なるものが、北方の形式を借用して過去全体の産物として産出されていた。名誉と愛、忠誠と敬虔、勇敢と貞淑、といった概念のそれまでは未聞だった融合形態がその時代において理想とされていた。個々の国民的性格が喪失されてしまった当時の状態を古代の世界のそれと比較してみるといい。この融合において、まさに偉大さへと到達するための補填と進捗が伺えるではないか。東方からローマまでは一本の幹であった。そして今やこの幹から様々な枝が分岐したのだが、どの枝も幹にくっついているわけではなく、広がり、より高く空へと伸びている。野蛮ではあったがスコラ哲学が取り扱った知識に比べれば洗練されより深いものだった。感情は野蛮で坊主風味の扱いを受けたが、より抽象的で高度なものだった。両方から風俗が流れでて、それがその時代の姿となった。このような宗教が譬えどんなに惨めなものと見えても、それは以前に時代にはほとんど知られないものだった。より洗練されているトルコの宗教も、それは現代の理神論者も高く評価してはいるのだが、結局キリスト教から生まれ出たものである。聖職者風の浅ましい屁理屈やあまりに夢見すぎの空想癖でさえ、それらを考え出すための洗練さと巧妙さがこの世にたっぷりあったのであり、また人々がとても繊細な気風の中で呼吸しはじめたということを示している。教皇政治は、ギリシアやローマにおいてはどう足掻いても存在し得なかっただろう。それは人々が挙げる一般的な理由だけでなく、当時にあった古代人の素朴さにも起因すると考えている。というのもそのような洗練された組織体系を受容するための心を彼らは備えてはいなかったのであり、またそのための場所もなかったのである。古代エジプトの「教皇政治」は、少なくとも遥かに粗野でぎこちない機械仕掛けだったに違いない。このような統治形式は、ゴシック的な風味ではあるが、やはりそれ以前にはほとんど存在しなかったものだ。下から上までをまとめ上げる野蛮とさえ言える理念がその統治形式にあるのであり、それまで結びついていなかったのを結びつけるという試みが絶えず試行錯誤して変化しながら行われている。偶然あるいはむしろ粗野で抑制の効かない力も大きな形式の中の小さな形式へと併呑され、それはどんな政治家にも思いもつかなかったものだ。それは全てがより新しく高い創造に向かって努力するような混沌めいた世界である。だがどのようにして、そしてその目標が具体的にどのような形かは誰にもわからない。この時代の賢者や天才の仕事は似たようなものであり、そこには全ての時代をかき混ぜたような芳香が漂っている。美や優雅さ、発明、秩序で溢れているから、ゴシックの建築物さながらの美も優雅さも発明工夫も秩序も有するようになった。そしてその精神が小さな制度や慣習までに及ぶとするならば、その数世紀において、古い幹の先端がまだその姿を顕在しているのは果たして不当なものだろうか？（幹そのものはもはや見えないし、見えてもならない。だが樹冠は見えるのだ！）まさにこの単一であらざるもの、錯綜するもの、様々な枝の豊穣とも言える余剰、それがその性分を形成する。それには騎士道精神の花が開花しているのであり、嵐がその花は散らして行くのならば、より美しい果実が熟していることだろう。

地上において無数の兄弟的な国家があり、一方君主制というものはない。そこから出るどの枝も、ある程度の全体を形作っていて、さらに枝を伸ばしていく。枝は全てお互い密接に伸びていき、絡み合ったり、ぶつかったりして、自分の樹液で育っていく。これらが多数の王国を形成していく。そして兄弟的な国家として並立していくが、それら全てが一つのドイツの種族であり、一つの国家制度の理念へと向かい、一つの宗教を信仰し、各々が自分とその成員と葛藤しながら、一つの聖なる風、つまり教皇の威信によって、ほとんど目には見えないものの端から隅まで全土にわたって突き動かされている。木はなんとすさまじく揺さぶられていることか！十字軍や民族全体の改宗においても、この木が枝や花を差し伸べなかったことはあるだろうか。ローマが世界征服の際に、征服する民族に対して、最良のやり方ではなかったにせよ、国際法の類やローマの政治制度を全般的に是認させるための助力を与えたが、教皇政治もあらゆる力を用いながら運命の掌で「あるべきキリスト者、あるべき兄弟愛、あるべき人間のより高い結びつきが行われ、一般的にそれらが認識されるための」機械となったのである。この歌声は、金切り声や不協和音を貫通しながら確実により高い調べを奏でていった。より多く集められ、抽象化され、発酵された思想や嗜好や状態が世界中に広まっていった。人類の古代から生えていた素朴な一本の幹がいかにそこから無数の様々な枝を生やし伸ばしたことだろう！

我々がよく言うように、ついに解き解される時が、つまりは発展の時がやってきたのだ。永遠のように続くかと思われた長い夜が、明け始めた。宗教改革、芸術や学問や道徳の再生が行われた。沈殿物は沈んでしまった。そして現れたのは、我々の思考、文化、哲学だったのだ！（人は我々が今日考えるように考え始めた。人々はもはや野蛮人ではなかった）

人間精神の発展において、いかなる時代もこれ以上に美しく描写されたことはない。我々の全ての歴史、あらゆる人間知が詰め込まれた百科事典の序説、そして現代の哲学はそれを指し示しているし[13]、東と西、黎明期から昨日まで張られた糸は（それは蜘蛛によって紡がれる秋の糸が頭の中ではたついているようでもあるが）、人間形成のどこまでも高いこの絶頂期においてそれをめぐらせることができるのだから。この考え方はすでに眩く有名であり、好意的に受容されていて完璧に出来上がっているのだから、私はあえてこれ以上何かを付け加えようとはしない。ただ、いくつかの短い注をつけようと思う。

一．私が人間の悟性について過剰なまでの賞賛を浴びせられていることに物申さなければならない。こういった一般的な世界変革の類に、何かの事象を産出しそれに当てていく盲目的な運命よりも、人間の悟性が及ぼす影響は少ないのを常としている、と私は言わなければならない。そういった世界革命の類は偶然な上あまりにも巨大な事象であり、あらゆる人間の力や予測を凌駕するもので、人間は反抗を示したのだ。そういった事象については、とても熟慮した計画によって遂行されたとは到底言うことができない。あるいはそれが瑣末な偶然性であり、人間が発明したというより発見したという方が適切で、長い間手元にあったが見向きもされず、使用されることもなかったのがたまたま使用されることになったに過ぎない場合だ。更には、

13（ヘルダー注）ヒューム『イギリス史』『雑論集』、ロバートソン『スコットランド史』『チャールズ五世史』、ダランベール『文学哲学論集』、イーゼリン『人類史』第二巻『論集』、その他それらの物真似の類。

単純な機械、新たなコツ、手仕事が世界を変える場合もある。十八世紀の哲学者諸君、実際この通りならば、君たちの人間精神に向けた偶像崇拝っぷりはどう説明するのかね？

非常に困窮した状態の只中で、誰がヴェネツィアをここに置いたのだろうか？そしてこのヴェネツィアがこの地点にあるだけで、千年にわたって地上の全ての民族に影響を及ぼし、あるいは及ぼすことが可能であったなどと誰が考えただろうか。ぬかるみに島々の海峡を作り出し、わずかばかりの漁夫をそこに連れてきて、そこに種子を蒔きそれが然るべき時間と場所にブナの木として育てたのと同じ者が、テベリの河に小屋を建設し、そこから永遠の世界の覇者であったあのローマを生み出したのだ。その同じものがあるときは野蛮人を連れてきて、全世界の文学、アレクサンドリアの図書館を絶滅させたが（その光景は沈みゆく大陸の如くだった）、またある時は別の野蛮人を連れてきて、世界に残ったわずかな文献を乞い求め、それを保存して、誰も夢想だにしなかった道順でそれをヨーロッパへともたらした。かと思うと同じ者が、帝都を滅ぼしたりもした。そのため誰も求めず、長い間埃をかぶっていた学問が、逃げるようにしてヨーロッパへと運ばれた。全ては巨大な運命の所業である。人間が考えもできず、望みもせず、影響を及ぼすことのできなかった所業だ。蟻の如き小さきものよ、君たちが運命の荒波の巨大な車輪に這い回っているだけのことと気付かないのか？

全ての世界啓蒙と言われるのも、その元々の原因について探ってみれば、同じような原因であることがわかる。あちらでは大きな、こちらでは小さな偶然、運命、神の所業である。全ての改革は、最初は瑣末なことから始まった。最初はそれが大規模で壮大な計画であった試しはなく、そうなったのはもっと後になってからであった。逆に人間がそのような大規模な計画を熟慮して組み立て実行に移したところで、失敗に終わることがほとんどであった。皇帝、国王、枢機卿、その他世界にその名を轟かす方たちよ、例え大教会会議を開催したとて、この原理を覆すことはない。だがあの洗練されたとは言えない、無知であった聖職者、ルターがそれを成し遂げることになる。そしてそれは取るに足らないようなことをきっかけにしたもので、彼自身まさかあのような壮大なことを行おうとは夢にも思ってなかった。今日の哲学者をはじめとする時代に即したやり方ではそんなことが成し遂げられるなど到底あり得ない。彼自身が行ったことはわずかだったが、それが人々を突き動かして、他の国すべてにも宗教改革の炎を燃え上がらせた。彼は立ち上がっていったのだ。「私は自分を動かす。それ故動きが始まる」。このようにして、あのような行いが遂げられたのだ。世界の変革！より以前の時代でこのルターの如き者たちが、どれほど立ち上がり、そして沈んでいったことだろう。彼らの口は煙と炎で閉ざされ、あるいはその言葉を発せられるような自由な空気が世の中にはまだなかった。だが今や春が訪れた。地上は開き、太陽が光を照らし、幾千もの新たな植物が大地から萌え出た。人間よ、汝はいつもその意思などお構いなしに動いていく世界の中での、盲目的な小道具に過ぎぬのだ。

温厚な哲学者は声を上げる。「なぜに、こういった改革が革命騒ぎなくして生じ得ないのか?このように人々が行動の嵐に巻き込まれていて熱狂に陥って偏見を生み出し、悪と善を取り違えることがないように、人間の精神の歩みをゆっくりとしたものにするべきだったのに」。その答えはこうだ。世界に改善をもたらすような人間精神の歩みがそのような物静かな、神々の歩みのようであることはあり得ず、人間の頭脳に浮かんだ幻影に過ぎない。この種子は地面に落ちて、そこに埋もれたままでいる。だが、太陽がやってきて、それを起こし上げる。種子は破れ、器は力強く膨らんでいく。地面を突き破り、開花し、実をもたらす。それはせいぜい汚いきのこのような育ち方だと思っているようだが、実際はそんなものはものの数ではない。あらゆる改革の礎は、いつも小さな種子によるもので、静かに地上へと落ちて、それに言及する価値などないほどのものだった。人間はとうの昔から持ってはいたが、それに見向きすらしなかった。だが今やそれによって、人間の性分、習俗、世界の平常な態様が新たに創造されたのだ。そういったことは革命、情熱、激動的なものなくして可能であっただろうか?ルターが言ったことそのものは、人類がとうに知っていたことであった。だがルターはそれを口にしたのだ。ロジャー・ベーコン、ガリレオ、デカルト、ライプニッツ、彼らが発明したものの、それは何かの騒ぎを起こすことはなかった。それは光線に過ぎなかった。だが彼らの発明は世の中を穿ち、意見を改めさせ、世界を変革するのだ。それは嵐であり、炎であった。革命者の情念が、学問が求めたような事柄そのものではなくとも、事柄を導入するためには必要なことだったのだ。そして彼はこの情熱を持っていたこと、それもたっぷりと持っていたが故に、無から貫き出て、それが彼の使命的な職務を遂行するにあたっての信用状であったのだ。それは組織や機械の活用、思案を幾世紀行ったとて成就することはできなかったものなのだ。

大抵の場合は簡単な機械的発明に過ぎず、そういうものは部分的にしろ昔から見知っていて、所有していて、それゆえに活用していたものだった。だが今は、一つの着想によってまさにその方法で使用されることによって世界に変革をもたらしたのだ。例えば、ガラスが光学に、磁石が羅針儀に、火薬が戦争に、印刷術が学問に、計算機が全く新しい数学の世界に応用された、等々。そして全ては違った姿を持つようになった。人々は道具を変えて、古い世界の外に一つの場所を見出し、そこへと赴いたのだった。

大砲が発明された。見よ、テセウス、vii スパルタ人、ローマ人、騎士、巨人のありし勇気は今やその姿を消した。戦争は変わり、そこからどれほど多くのものが変わったことだろうか。

印刷術が発明された。それにより学問の世界はどれほど変容したことだろう。そして容易になり、広まり、平明になったことだろう。誰もが読んだり書いたりできるようになった。そして読むことが可能な者は、学ぶことができる。

海の上にある小さな針、それによってどれほどの革命が世界中で行われるようになったか誰が数えられよう。更に、ヨーロッパよりもはるかに大きな大陸が発見された。金、銀、宝石、香料そして死でいっぱいの岸辺も征服された。鉱夫、粉挽き場の奴隷、悪徳に耽溺した人々が改宗され、あるいは文化を享受するようになる。ヨーロッパの人口が減っていき、病気と奢侈によって底地は消耗されていく。これらを誰が数え、描写することができるというのだ。新たな習俗、性情、善徳と悪徳、これらを誰が数え、描写することができるというのだ。ここ三百年、世界を動かし続けてきた車輪は途方もない代物だ。それは何に繋がれていたのか。何がそれを突き動かしたのか。針の先ほどの大きさを持った二つか三つの機械的な思考というわけなのだ！

二．ここから結論づけられるのは、このいわゆる新しい教化形成というのも、その大部分は機械的な作用に過ぎぬというわけだ。だがもっと具に見ていくと、その機械もどれほど新しい精神が宿っていることだろう！大抵世界に変革をもたらしたような新たな技術というのは、以前は必要だった力をもはや必要としなくなり、そういった力は今や（使われることのない力は眠りについてしまうものだから）時の経過とともに失われていった。戦術、市民生活、航海、統治におけるある種の能力、そういったものを人々はもはや必要としなくなった。必要としたのは機械であり、その機械はただ一人の人間、一つの考え、一つの合図によって制御される。その代償としてどれほど多くの力が眠りにつくことだろう。大砲が発明されたことによって、戦争で美点とされる荒々しい肉体的なあるいは精神的な強さ、勇敢さ、忠誠、異常事態に対処するための沈着さ、栄誉心、こういったものはかつての世界では美徳とされていたが、それが今やどれほど衰退したことだろう。軍隊は今や雇われた存在となり、思考や力や意思を必要としない機械となった。一人の人間が統御すればいいだけなのであって、軍隊の兵士は操り人形となり、弾丸を発射したり、あるいは発射されたりする生きた城壁となった。ローマ人やスパルタ人はおそらくこう言うだろう。「心の奥底にある美徳はもはや喪失され、軍人の栄誉という花輪は萎んでしまった」。では今は何があるのか？兵隊は英雄の制服を着せられた国家第一の日雇い労働者になった。彼らの栄誉や職務を見てみるといい。確かに軍人ではあるが、彼らの唯一無二と言えたその存在の残滓は、軽い力で握りつぶせてしまう。古代ゴート人による自由と身分と所有の形式、こういうのは悪趣味な惨めな建築物に過ぎないわけだが、それがもはや土台まで崩れていて、にも拘らずその粉々の破片を無理矢理固く繋ぎ合わせているから、土地、住民、市民、祖国はなんとかかんとかうまくやってはいたが、どの官職、職業、身分についても、農民から大臣、大臣から僧侶に至るまで、主人と下僕、独裁者とそのお抱え人の違いがあるだけになっている。主権、洗練された統治制度、新たな哲学的な統治法などという新たな呼称が発せられるようになった。それらは確かに新たな世紀の王侯の冠と言って良い。だがそれらは何の上に乗っかっているのか？あらゆる硬貨に刻印されている太陽へと飛翔している鷹の姿さながらに、それは太鼓、国旗、弾丸、そしていつも被られている兵隊帽子に乗っかっているのだ。

新たな哲学の精神、単なる機械の類ではなくそれ以上のものであるというのは、多くの人間がその哲学で育ったのを考慮すれば明らかだと私は思う。哲学だの学問だの叫ばれるが、それらが生活の事柄に処したり健全な知性を維持するのにどれほど不確かで無力なものだろうか。逆に昔は、哲学的精神は単にそれだけに完結するものではなく、仕事や職務から発しそしてそこへと戻っていくような代物で、その時代の哲学の目的は充実していて健全で、実際的な精神を育むことにあったのだが、これが独立した存在になり手仕事的なものとなると、まさしく哲学は手仕事に過ぎないものに成り下がったのだ。君たちの中で、論理学、形而上学、倫理学、物理学等を、人間精神の器官、あるいは人が仕事にあたる際の道具として捉えている人が果たして何人いようか。それらは思考形式の規範として、我々の心に固有でより美しい思考形式を与えるべきものなのだ。だが今の時代は、自分の考えを機械を操作するように叩いて、手品でも披露するかのように哲学で戯れて、まるで青年が剣術試合をするかのような危なっかしさがあるときたものだ。剣を振り回しながらアカデミア流の綱渡りを行い、それを見る周りのものは感嘆したり喜んだりで、首や足を折らずに済むなんて大したものだとその偉大な曲芸師に歓声を上げている。まあこれが今の哲学者の技術というわけさ。もし諸君がこの世の中の仕事を描くこなしていきたいのなら、哲学者にやらせてみればいいのだ！紙の上では綺麗で優しく、美しく寛大な姿を見せているが、実際に実践に移させたらこれはまたひどいものだ。一歩進んでいくにつれて、不測の事態に遭遇し、思い通りにいかず、驚いて硬直するばかりだ。ところで、幼児というものは実に偉大な哲学者と言える。というのも計算はできるし、三段論法、図形、器具を楽にそして大体は上手に駆使して、新たな三段論法、結果、そしていわゆる発見がもたらされる次第となる。これこそが人間精神の果実、栄誉、頂なのであって、それが機械的な遊戯から生まれたのだ！

難しい哲学というのはこのようなもので、それでは簡単な美しい哲学というのはどうか！ありがたいことに、これほど機械的なものがこの世にあるのだろうか。学問、芸術、慣習、生活様式の隅々までそれは入り込んで、今世紀の樹液とも花とも言われているが、実際のところこれほど機械的なものがあるだろうか？学び、ゆっくりと成熟していき、深く洞察して、慎重に判断すると古代からの慣習は、まるで首にかかっている軛を投げ捨てるが如く、馬鹿げた偏見的なものとして取り払われてしまった。法廷では、各々の事件を取り扱い吟味していくに当たって細々として、詳細な知識を必要とするものだが、逆にその哲学ではなんと美しく、軽妙で、自由な判断を持ち込まれたことか。二つほどの判例で全部を測り、それで蹴りをつけてしまうのだからね。物事の個別的な特徴にこそ真相が潜んでいるのに、輝かしく素晴らしい普遍的なものに拘泥する。裁判官ではなく哲学者様だ、というわけさ（これが今世紀の花なのだ！）。国家の経済状況と政治制度をうまく進めていくにあたって、国家が現在どういう状態にあり何が必要なのか、それにあたる知識を骨を折って獲得していかなければならぬというのに、この哲学とやらはまるで鷹の目が一瞥するがごとく全体を俯瞰すれば、それで事足りるときたものだ。それはまるで地図や哲学の一覧表を眺めているかのようである。モンテスキューの理論をうまく借用して発展した哲学理論で無数で多様な国民や地域が、政治学の九九の表を一目、二目見て照らし合わせて即席で計算されてしまう。このような具合にこの哲学が結構な技術や手仕事や退屈極まりない日雇い労働になってしまった。誰が苦労してそんなものに真摯に打ち込もうというのか？穴倉を徘徊するようなものだ。そこで色々な屁理屈が出てくる。全てに対して辞典やら哲学的理論が組み立てられるが、実際に手に道具を見てその目で確かめたものなど何一つない。それは以前あった衒学的なものをさらに衒学的にしたに過ぎない。抽象化された精神、二つ程度の思考から導き出した哲学理論、この世で最も機械的な事柄といったらこれらである。

近頃の機知がいかに高尚な機械的な代物かをわざわざ証明してもいいだろうか？洗練された言葉とか文体というのは、思考、生活習慣、才分、嗜好を収めた狭い靴型と言えるが、これを幾多もの形で世界に輝かしく広めた国民のもの以上に、洗練された適切な靴型はあるだろうか？操り人形によって繰り広げられる芝居がどれほど美しい規則に応じたものだとしても、生活習慣にどれほど洒脱で機械的な礼儀作法、陽気さ、言葉のあやを猿真似したとしても、哲学がわずかな感情を詰め合わせそれらに基づいて世界の万事を取り扱ったとしても、上記の靴型ほどの洗練さを持ち得ることはできようか？そういった哲学は人間性、天才、陽気、美徳を猿真似しているに過ぎず、それ以外の何者でもなく、そしてその猿真似はいとも容易く行えることから、その哲学はヨーロッパ全土のために行うことになったのだ。

三、そのために人間の形成においていかなる中心点を持ち、そしてその状態で常に人間形成に努めていることがよく理解できる。哲学、思想、手軽な機械学、理屈、これらが社会の柱となり、本来はただそれが立っていればいいだけなのにこの理屈がその礎になろうとしているのだ。特に私がどうしても理解できないのは、あらゆる幸福、あらゆる善、あらゆる人間教化を目指し頂へと向かうにあたって、やけに妙な理屈がこねられるということだ。肉体というのは、器官全部が視覚のために備えられているというのか?手足までが目や脳になろうというのなら、体全体にとって苦しいものとなるのではないか?理屈をつける箇所が、あまりに不注意に無益に拡大してしまったから、性状や本能や生活力が弱められてしまうのではないか?というより実際に弱められたのではないか?

もちろんこういった弱体化はある国々にとっては好ましいものかもしれない。衰弱した手足は滅びなければならず、というのも思考に反抗すること以外に力が残されていないからだ。どの車輪も恐怖からか、習慣からか、贅沢からか、哲学からかその場で停止したままになる。こうなると哲学によって統御された群衆は、烏合の衆となり、家畜や木材の山になってしまう。彼らも確かに思考する、というのもそうするように導いたからだ。だがそれはある点までに過ぎない。そのため彼らは一日ごとに自分が機械であると感じるようになり、だがそれは与えられた偏見に従って感じるだけに過ぎない。その機械はギシギシと音をたて、やがて滅んでいく。彼らはギシギシと音を立てる、というより立てることしかできないのだ。そしてそれが自由な思考だと思って自分で愉悦に入っている。あの楽しくはあろうが、色褪せて、忌々しい、無益な自由な思考などなんだというのだ。もっと必要とされているものがあるだろう。心、熱、血、人間性、生命、それらはどこに行ったのか？

ここで読者諸君には計算していただきたい。光がどこまでも輝き広がり、その一方性格、生への本能が逆に弱められている。人間を、民族を、そして敵をも愛せよという理念が掲げられているが、その一方で、父、母、兄弟、子供、友人の間の友愛精神はどこまでも弱まってしまった。自由、名誉、美徳の原理が広く流布し、誰もが皆これを認め、最も身分の賤しい者もこれらの言葉を語る国があるほどだ。だが実際は、彼らは皆臆病で、恥晒しで、奢侈に溺れ、卑屈で、惨めな無秩序の厭わしい鎖に縛られているのだ。手軽さや生きやすさはどこまでも広がったかもしれないが、その手軽さというのは全部一人か数人の者に帰せられるのであり、本当の意味で考えるのはその人たちだけである。生きて働く喜び、人間らしい高貴な善行、足るを知ること、そういうのは機械には喪失されてしまった。機械はまだ生きているのだろうか？全体においても最小の部分においても、なお生きているのは支配者の考えだけである。

我々が精力を尽くして学ばされ、ヨーロッパだけでなく世界の果てまで広がっていき万人を教化し我々の本来の姿、人間、あるいは祖国の市民、あるいは世界においてそれ自体価値ある存在へと形成させるあの美しき理想がこれなのか？そうかもしれない。だが少なくとも確実に言えるのは、全てが数、必要、目的、それを政治的に計算して取り決められているということだ。誰もが自分の地位に適した制服を着る機械に過ぎない。人間教化のためのああいった輝かしい広場は確かにあり、また説教檀や舞台、正義の行われる広間、図書館や学校等もある。さらに全ての王冠としての位置付けをもつ、あの輝かしいアカデミアがある。それは何という輝き！王侯貴族の名を末まで響かせ、世界を啓蒙開化し、人間の幸福をより高めるという偉大な目的を持っている。見事な聖別だ。では彼らは何をやっているのか、何がやれるのか。彼らは単に遊んでいるだけだ。

四．そして、「人間性を形成する」という我々の世紀の誉れでもある創造計画を成就するための名だたる手段のいくつかについて、一言述べるとしよう。これによって本書における実践的な部分について少なくとも立ち入ることになる。

最初から著述してきた部分が無駄ではなかったとするならば、一つの民族の形成とそれを続行していくことは、運命の仕事に他ならないというがわかるだろう。無数の原因が作用してその結果をもたらしたのであり、つまりその結果にそれらの原因が生きている自然全体とも言える。もしこれが正しいのならば、この形成がいくつかの利発な観念によるものとするのは児戯にも等しい行為だが、人々はそのような要因によって学問が再興されたなどと言っているのだ。あの本が、あの著者が、ああいった無数の本が、その要因で形成されたと言っている。そしてそれら全てを結集したと言える今世紀の哲学もやはり形成されたと言っている。人間性を形成するというのは性状を呼び起こし、強め、それによって人間をより幸福にするというものに他ならない。だがこれを成し遂げるためには、つまり理想を成就させるには大きな崖が阻む。観念は観念に過ぎない。考えれば多少はマシな明るさ、正しさ、秩序が与えられる。だが人が思考だけで当てにできるのはそれぐらいのものだ。というのもこれらが魂においてどれだけ混合し、見つけ出し、それらが変化していくか、その変化がどれほど劇的で持続するものか想像にも及ばない。そしてそれが人間生活の態様を無数に象っていくきっかけとなってゆくのだが、ましてや一時代、一民族、ヨーロッパ、そして世界全体においても同様のことが起きるのは、いかに我々が取るに足らない存在だとしても理解できることだろう。だがあまりにも壮大すぎて、具体的に考察していくこと叶わぬ。

今世紀の人工的な考え方を学んだ人は、子供の頃からあらゆる本を読み、讃え、言われるようにそれによって公然と或いは暗黙に認めている原理をかき集めて形成し、ある種の精神力を駆使してそれについて議論していき、等々することによって今世紀を突き動かす駆動装置のその正体を探ろうとすることだろう。だがそこから導き出される推論は、誤った浅ましいものに過ぎない。このような原理が世に広まり人々に知られ、あたかも玩具のように人々の手に渡り、噂のようにひとの口から口へと伝わっていく。それゆえにこういった原理がそれ以上の作用力を持つことはありえないのが明らかになるというわけだ。人が遊ぶ時の道具を使うとき、そこに原理など必要だろうか。穀物があり余るほどあるのだから、畑に種を蒔いて植え付けることはせずに、まるで穀倉のように種を畑に溢れさせることをしたら、穀物どころか種すらも干からびてしまう。何かが根付き、育ち、それどころか地中へと潜るものもあるだろうか？

残念ながらそれの証拠となるものが至る所に見出されるのに、わざわざ真理を実証するために例を挙げなければならないのだろうか？宗教と道徳、立法と一般的な習俗、いずれも実証するに十分足りる例だ。大した原理、そこからの発展、体系、解釈、といったものが氾濫している。それがあまりに氾濫しているから、だれも地面と地につけている自分の足が見えないほどだ。だから、向こう側へと行くには泳いでいくしかない。神学では宗教に関して感動的な描述が行われている。そこから神学者は学び、知り、証明して、忘れてしまう。我々は皆子供の頃からこういった神学者であるかのように仕立て上げられている。説教檀から原理が鳴り渡り、それを我々は皆なるほどと思い、学び、大層なものと考える。そしてその原理を説教檀の横か上に置いたままその場を去っていく。読書や哲学や倫理においても同様の事態だ。それを読むのに倦んでいない人などいるのか？作家で、文を書くにあたって装飾的に仕立て上げるのを第一の目的としない人がいるのだろうか。効き目のない錠剤をひたすら銀めっきで飾ろうというのだ。頭と心は分かれてしまっている。人間は知っていることではなく、自分のやりたいことに基づいて遺憾ながら行動している。美味しいものをどれほど蓄えようとも病人にとってそれが何になろう。その病人は苦しむばかりでそれを食すなど到底できない。一向に減ることのないその蓄えは、病人をますます苦しめるだけだ。

このような人間形成の媒体を世に広めようとする者は、好きにさせておけば良い。彼らは自分たちが「人間性」を形成すると言い、特にパリの哲学者たちは全ヨーロッパを、そして全世界を形成するのだと言っている。それが果たして結局何を意味するのかお分かりか?口調、決まり文句、うまい言い回し、多少は役立つ妄想に過ぎない。この目的を達成するのに活字文化を手段として駆使し（それは適切とはとても言えない手段だが）、我らの世紀を大層な靄で包み、人々の目をこの実効性のない光へと向けさせ、心も手も自由にさせようとするが、これまた誤謬でとんだ失敗で、実に嘆かわしい。

立法の技術が民族を形成するための唯一の手段としてみなされていた時代があった。その手段は甚だ奇妙なやり方で行われると、大体は人類の一般的哲学、理性と人間性の規準、そのほか様々なものとなった。事の次第は確かに輝かしいものとなったが、有益とは言えなかった。確かにこれによって正と善についての一般的原理、人間愛と叡智に関する格言、全ての時代と民族から演繹された全ての時代と民族のための今後の見通しが得られただろう。全ての時代と民族のため?だとしたら残念なことに、この法典を衣装として纏うべき存在は本来の目的だったその国民のためではなかったというわけだ。このように集められた一般的なものはあらゆる時代と民族の中で空気のように散逸してしまう、泡のようなものではないだろうか?民族の血管と腱に養分を与え、その心臓を脈打たせ、骨髄と骨を元気づけるということとは、なんたる違いだろうか?

譬えそれがどんなに美しい真理であろうと、それについての一般命題と、実際に僅かでもそれを実行に移すことにはどれほどの隔たりがあるだろうか?そしてそれを適切な場所、適切な目的、最適なやり方で行うとなったらどうだろう?村のソロンは、そこにあった悪習をたった一つなくし、人間的な感性と行為の一条ほどの流れでももたらしたのだが、その彼は立法についてああだこうだと議論する者たち全てよりも千倍も多くのことを成し遂げた。こういった理屈をこねる者の言うことは、全て正しく誤りであり、朦朧とした影に過ぎぬ。

アカデミア、図書館、美術館の設立が世界の教養を推進すると言われた時代があった。結構なこのアカデミアとはいわば宮廷の看板であり、威容を放つ名士集会所であり、尊い学問を支え、君主の誕生日を祝うのに適した結構な広間を持っていた。だが国家、国民、臣下の教養にとって何の役に立つというのか?そしてこのアカデミアなるものが何をしようとも、それがどれだけ幸福を推進するのに役に立つのか?譬えアカデミアの円柱を、公共の通りの柱として設置したところで、そこを通りかかる人がギリシア人になるとでも言うのか?ギリシア人のように、それを見て、感じて、実際のギリシア人と一心同体になどなれるのだろうか?まさか!この詩、このアッティカ風の美しい朗読はかつて驚嘆した感銘を人々に与えたのだが、そのような時代が再度もたらされると言うのか?ありえない。そしていわゆる学問の復興者たちは、譬えそれが教王や枢機卿だとしても、アポロンやムーサや全ての神々を常に新ラテン語の詩で登場させた。彼らは知っていたのだ、それは遊戯に過ぎぬことを。アポロンの影像はいつでもキリストやレダと並立することができた。この三者が与えた感銘は一つしかない、つまり何も与えなかったのだ！こういった舞台や演劇の披露が、実際にローマの英雄的なものをもたらし、ブルトゥスやカエサルを創り出せるだろうか？諸君の舞台が、諸君の説教壇がそれで成立し続けることができるだろうか？挙げ句の果てに、最も高貴な学問の世界で、ペリオ山[viii]にオッサ山[ix]を投げようと言うのか？これまた大層な計画だ！なんのために、物を投げているのかわからないのか？宝物はそこに確かにあるが、決して相応に用いられることはない。少なくとも、アカデミアが今テーマとしているのは人間性ではないことは確かだ。

　誰も彼もが教育に飛びついた時代もあった。教育は結構な現実的知識、指導、啓蒙、理解の利便性、さらに丁寧なお行儀をより早く洗練させて身につけるためにあった。まさかこれによって人間の性状を変えたり形成したりできるだろうか？善き習慣を身につけさせ、訓練やそれによる力強さをつけさせたり再び力強くさせたり、時には偏見さえも身に付けさせ、それによって「より良い世界」を形成するための手段は、軽蔑的な手段とみなされ用いられない。論文や計画は確かに出来上がっていた。そして本として印刷されたが、結局は忘れ去られた。教育のための教科書なら無数にある。善き規則を並べた規範書も無数に現れるだろうが、だが世界の有様は何一つ変わらない。

　かつての人々は、時代や民族について違った考えをしていて、全ては国家的に狭く考えられていた。個々の異常事態から教養が生じたのであり、またその教養をそういった事態へと適用していった。それは純然たる経験であり、行為であり、生の応用であり、極めて限られた範囲から由来するものだった。一つは族長の小屋から、一つは小さな畑から、一つは小さな共和国から発したものであり、当時の人々は何でも知っていて、何でも感じていて、だから人にも感じさせることができた。そういったわけで人の心にも人の言うことにも共感できた。故に今世紀の啓蒙された人々がより啓蒙されていないギリシア人に対して、彼らは一般的で真に抽象的な哲学を持っておらず、狭い舞台の上で小さな必要に応じたような哲学に過ぎないと非難することがあるが、それは実際のところは賛美であったのだ。それは実用のことを語っていたので、一語一語が適切な場所で発せられたのだ。何かを喋るにあたっても、言葉を通してではなく、行為と習慣と手本と無数の影響を通して語った。なんたる違い！明確で力強く、永遠性を宿している。我々は一度に無数の身分、階級、時代、種族について話すが、現実的にはどれについても話していないのだ。我々の智慧は細く、肉体の痕跡を持たない。抽象化された精神なのであって、使用されることなく消失していく。ギリシア人の哲学はあくまで市民的な叡智であり、人間を対象にした歴史なのであり、養分をたっぷり含んだ液汁である。

それ故、もし私の声に力と機会があるならば、人間形成に従事している人々に向かってどのように呼びかけるだろうか？「人間の改善のために公共の場所を作ることはやめろ！そんな紙の文化の設備に何ができるというのだ！不幸にもそれ以外何もできない奴らには、青空に向かって人間形成について語らせておけばよい。花婿にとって、彼女について歌う詩人あるいは彼に代わって求婚する仲人よりも良い身分にあるのではないか？人間の友愛、民族愛、父の子を想う心を最も美しく歌う者は、もしかするとそれらに短剣を深く突き、その時代にすら傷を負わせようとしていることもあり得るではないか？外相は高貴な立法者という具合だが、実際はその世紀を破壊しようとしているのかもしれない。内側の改善や人類や幸福などどうでもいいのかもしれぬ。彼は今世紀の流れに乗っているだけであり、今世紀の妄想によって人類の英雄となっただけだ。そういったわけで、その時代から瑣末な報酬を得ただけだ。それは萎んでいく虚栄の月桂冠であり、朝には灰となり散ってゆく。人間を形成するという偉大な神の所業は、ゆっくりと、力強く、人知れず、だが永遠に行われる。そこに虚栄などが入る余地はないのだ！」

五．私がこのように書くと、次のような決まり文句が出てくるのは想像に難くない。人というのはいつも遠いものを褒めるのであり、現実については嘆くとしたものだ。遠くにある金箔に夢中に夢見るが、掌にある林檎についてはその重みを知らないが故に、金箔のためにくれてやるというのは子供の行いだ。だが私はそんな子供じみたことを言っているのではない。現代の偉大さ、美しさ、唯一無二の事柄についても私はよくわかっている。色々中傷めいたことを述べてきたが、それもそのことを土台にした上であった。哲学！広がってゆく光！機械的な熟練と利便性！寛大！学問が復興して以来、現代においてこれらがどれほど向上したことだろう。

何という奇妙とも言える容易い手段で頂へと上り詰めたことだろうか。そして今世紀はその手段をどれほど強固なものとし、後世のために保護したことだろう！これらに対しての誇張めいた賛辞は、あらゆる本、特にフランスの本に見られるのだが、私はそういった賛辞を呈する代わりに、いくつか私の気づいたことを述べたいと思う。

確かに目的や手段として偉大な世紀だ。今までの世紀に比べて、我々が絶頂にいるのは疑いないことだ。我々は根、幹、枝からどれほどの樹液を活用したことだろう。頂にある細い枝が吸いうる限りの養分を吸い上げて、東方人、ギリシア人、ローマ人、特に中世ゴート人に対して聳立《しょうりつ》した存在に我々はなっている。故に我々は大地を見下ろしている。我々の作る影に、世界のあらゆる民族や大陸が潜んでいる。嵐が起きてヨーロッパの小さな葉っぱが二枚揺れただけでも、それが前回をどれほど震撼させ、血を流させることだろう。全世界が現代ほどに、わずかな糸で紡ぎ合わせられている時代はあるだろうか？ちょっと押したりちょっと指を動かしただけで、国家全体が震動するような力や機械を有史以来持っていたことがあっただろうか。万事が先端の二つか三つの思想に繋がれて揺れ動いている。

同時に世界がこれほど全般的に光に包まれたことがあっただろうか。そしてその光はどんどん強くなっていく。かつては知恵というものは、一国の狭い範囲内に留まっていて、それゆえに深く掘り進んで人の心を惹きつけたものだったが、その光は今やどこまで広がるというのだろうか？ヴォルテールの作品を読まない者は世界のどこにもいない。地球全体がヴォルテール流の輝きですでに満ちている。

そしてこの情勢がいつまでも続くように思われる。ヨーロッパの植民地は世界中にあり、それがこれからも増えていく。至る所の未開人は、我々のブランデーや奢侈を愛好すればするほど、我々の宗教に改宗する態勢が整ってくるだろう!そして我々の文化自体も愛好するようになるだろう。やがて、神よそうなったら助けたまえ、全人類は我々のようになる、善良で、強くて、幸福な我々に!

商売と教王政治、この二つがこの大仕事にあたってどれほど貢献したことだろう。スペイン人、イエズス会士、オランダ人。彼らの博愛、無欲、高潔、そして有徳の国家であるこれらは、いかに世界中の他の国家の人間性の形成に欠かせないものだっただろうか。

世界の他の部分がこうなのだから、当のヨーロッパもこうでないはずがない。アイルランドが長い間未開で野蛮だったのはイングランドにとって恥ずべきことだった。故に彼らは開化されるようになり幸福になったのだ。北スコットランド人が長い間ズボンを履かなかったのは、イングランドにとって恥ずべきことだった。それで彼らは月並みにせよズボンを履くようになり、幸福になった。我々の世紀で、自分を偉大に、幸福に形成しなかった国があるだろうか。だが唯一、人類にとって恥ずべきものが、地中海の真ん中にあったのだ。そこには農業組合もアカデミアもなく、八字髭をしながら国王を殺害しようと国家ぐるみでしていた。それで見てみるとよい。高貴なフランスが元々一人で善良で、力強くて、幸福な人類の形成にすでに従事していたのだが、ここでは粗野だったコルシカで、三人の八字髭の男がやってきてそれを成し遂げたのだ！

我々が使用する技術はなんたる高みに達したことだろう。人間形成にあたってのあの統治制度、あの組織体系、あの学問よりも適切なものを人は思い浮かべるだろうか？[14]我々の国家を動かす発条は唯二つだけだ。恐怖と金。宗教も（そんなものは子供じみた発条に過ぎぬ）、名誉も、魂の自由も、人間的な幸福も、ほとんど必要としない。あらゆる神の中で唯一の神である、富と強欲の神マンモンを第二のプロテウス[x]として捕まえ、それを変容させ、欲する限りのものをその者から搾り取ることをいかに我々が熟知していることか。実に最高級の幸福な統治制度ではないか！

軍団を見てみると良い。それこそが人間社会の最も美しき原型だ。そこでは皆色鮮やかで軽妙な服装をして、食事も軽く、皆同じことを考え、全身に自由と快適さが流れていて、その動きも見事なものである。その手には素晴らしく眩い剣という仕事道具が握られている。あらゆる美徳を、彼らは日々の作業で身につけていく。人間精神と世界統治の完成された最高峰の姿がそこにあり、それは「諦念」をそのまま具象化したといって良い。

---

14（ヘルダー注）ヒューム『政治論集』試論四、九、二五、二六また『イギリス史』

ヨーロッパの均衡。これこそがそれまでなかった偉大な発明だ。今日の大きな効果においては、人間性を形成するにあたって最も適切であるのは疑いない。だがそれらの国家がお互い摩擦しあっているが、傷つけることも傷つけられることもできない。ゴート人、フン人、ヴァンダル人、ギリシア人、ペルシア人、ローマ人、つまりかつてあったあらゆる時代の惨めな政治制度には、国家同士が破壊し合うという前例がいくらでもある。一方今日では、国家が昆虫を樽いっぱいに飲み込ませて、世界に一様な平和と安定を作り出すという高貴な王と思ってしまうような歩みを続けている。町は哀れではないか？村は苦しくはないか？だが我々は幸いだ。従順さ、平和と安全、これらの根本道徳と幸福を維持するための傭兵が我々なのであり、国同士で同盟を結び、ヨーロッパに均衡がもたらされている。それ故必ずや、ヨーロッパに永遠の安寧、平和、安全そして従順が続いていくのだ！

こういった時代が時代の経過とともに発展していく様を描写できるのは、我々の時代の歴史記述家、君主制の歴史的叙事詩人ぐらいのものだ。[15]

「かつての悲しい時代では、人は行動するにあたっても必要と自分だけの感情によるしかなかった。それよりも更に悲しい時代には、統治者の権力は無限であったのでは全くなかった。そして最も悲しい時代では、統治者の収入は恣《ほしいまま》に設定できるのではなかった」。哲学的、叙事詩的歴史記述家にとって、一般的な論理を組み立て、あるいはこれをヨーロッパの全体像へと組み入れて描写するにはあまりに素材が少なすぎる。「遠くにある国境を動揺させるのに十分な兵力はないし、征服するための自国からわざわざ進軍するような君主もなかった。だからやるべきことといえば、敵軍からの侵略に何とか抵抗し自己防護することぐらいであった。政治というものはなく、遠い時代や土地に目を向けることもなく、月に思弁を巡らせるようなこともなかった。それゆえに、博愛に基づく諸国連合的なものもなかった。だから何一つ」。これこそが最新で最高峰の趣味を体現する言葉だ。「ヨーロッパには何一つ社会的生活がなかった。ありがたいことに国家内のバラバラな勢力や体制は統合され、貴族は都市により、都市は解放された国土により、そしてそれら三つは諸民族によって、実に見事なやり方で競り合いそして凌駕され、驚くべき機械装置へと組み込まれて、それ以来誰も独善的になり、誇り高くなり、自決権を主張しないようになり、することもできなかった。ヨーロッパに社会的生活が形成されたのはなんたる僥倖だろう！」君主は国家を権力で完全に握っているから、彼にとって国家はもはや目的ではなく、国外と取引するための手段に過ぎなくなった。故に彼は遠くまで見通し、計算し、討議し、取引を行う。国民は理解できなかったりその目的もわからないような指

15（ヘルダー注）ロバートソン『チャールズ五世史』序言。ここで述べているのは、その忠実な抜粋なのであり、彼の判断に、適宜さらに判断を加えたものに過ぎない。「人を惑わすのは事柄そのものではなく、その事柄に対する意見である」（エピクテトス）

示を君主から受けて、興奮してその活動にあたる。どの国も他の国から見られること意識することなしに、綿棒一つ動かそうともしない。また極めて遠くから由来する原因によって、世界の隅々まで流血行為を行うこともある。巨大な普遍性だ！どれほど緊密で、人間的で、冷淡に戦争がそこから遂行されるだろうか。いかに正当で、人間的で、公平な交渉がそこから生じることだろうか！そしていかに最高の美徳である諦念が、このことによって各人に対して促進されるだろう。ヨーロッパの高度な社会的生活の有様！

そして輝かしい手段を通して、[16] どこまで到達できただろうか。「君主の権力は国民と軍隊階級の力が弱まるのに比例して増大した。いかなる手段を用いて君主はそれを更に増大化させ、収入を増やし、内側の敵を征服したりあるいはうまく操り、国土を広げたことだろう。この事実は、中世ならびに近世の、特に全ヨーロッパの先駆者ともいうべきフランスの歴史が示している」。輝かしい手段であり、その目的のなんと偉大なことだろう。ヨーロッパの天秤！ヨーロッパの幸福！この天秤では、この幸福では、どの砂粒も疑いなく多くの意味合いを持っているのだ！

「現代の商業組織」。あらゆるものを統括する学問の微妙な点について、人々は一体何を考えているのだろうか？農耕に奴隷としてヘイロータイを用いたスパルタ人はなんと惨めで、奴隷を地中の牢屋に閉じ込めたローマ人はなんと野蛮であったか！ヨーロッパでは奴隷制度が廃止されたが、[17] それはこういった奴隷には多くの費用がかかり自由人よりも利益をもたらさないと計算されたからだ。我々がしてもいいと思ったただ一つのことは、三つの大陸の人間を奴隷として用いて、これを売買し、彼らを銀の鉱山や砂糖工場へと追いやったことだ。だがそれはヨーロッパ人らしからぬこと、キリスト教徒らしからぬことである。だがそれによって我々は銀や宝石や香辛料や砂糖や、そして秘密の病気をもらっている。これはつまりビジネスとしてやっているのであり、民族が兄弟愛として盟約するための相互の恵みあいなのだ。

「商業組織」。この組織体系が巨大で、唯一無二のものであることは明らかだ。三つの大陸が我々によって略奪され、開化された。我々も彼らによって廃れ、力を去勢され、奢侈や圧政や死へと沈下された。これが商売で豊かになり、幸福になるということだ。ヨーロッパを吸い尽くそうとしている、この巨大な流れ雲に加わろうと思わない者がいるだろうか?この雲に押し入って、自分の子供を大商人という空虚な存在にしないと思わないものがいるだろうか?民の牧人というかつての名前は、独占業者へと変貌した。世界を覆うこの雲全体が、千の嵐で吹き飛ぶ時、どうか我々が跪拝する偉大なる神マンモンよ、助け給え!

16（ヘルダー注）ここもロバートソンからの抜粋に過ぎない。
17（ヘルダー注）ミラー『身分の相違』第五章

「生活様式と道徳」。国家と国民性が多数あった時代はなんと惨めなものだったか[18]！相互が憎み合い、異国人を拒否し、自分というものを譲らない頑固さで、先祖から譲り受けた偏見を持ち、故郷に固執し死ぬまで離れようとしない。これが土着の考え方なのだ！実に偏狭な思想で、それが永遠に野蛮人であり続ける！だが幸運にも我らヨーロッパ人にはこういった国民的多様性というものは無くなった。我々は皆愛し合っていて、というよりむしろ他者を愛する必要がない。心は互いに通い合っていて、お互い全く同じ存在である。文明化し、礼儀正しく、幸福な存在なのだ！祖国はなく、我々が生を捧げるべき者もいない。だが博愛主義者であり、世界市民なのだ。ヨーロッパの全ての支配者は皆、フランス語を今では話しているが、まもなく我々もフランス語を話すことになるだろう。そして黄金時代の幸福の時が再来した。「かつての黄金時代では世界には一つの舌と言語しかなかった。再来する黄金時代には、一人の牧人と家畜の群れによって構成されるだろう」。とするならば国民性というものは、一体どこへ行ってしまうのやら。

「ヨーロッパの生活様式と道徳」。キリスト教のゴシック時代では、若者が成熟するのはいかに遅かったことだろう。三十歳になってもまだ成熟するかしないかで、惨めな子供時代でその生の半分が喪失されてしまったのだ。だが現代の哲学や教育や善き道徳やらで、十三歳くらいで成熟を迎え、あからさまな或いは隠れた罪によって二十歳で盛りは過ぎてしまう。なんという結構なものを作り出してしまったのだろう！我々は曙光で花盛りを迎え、生を享受し尽くすのだ！

「ヨーロッパの生活様式」。謙遜、青年のはにかみ、羞恥心などはいかにもゴシック的な徳と言うべきものだ。[19]我々は美徳という、曖昧で助けにならぬ外套なぞ早々に脱ぎ捨ててしまう。社交界、女連中（これこそ最も羞恥心を欠き、実際彼女らが最も必要としないものだ）、我々の両親すらも、我々の頬から早々に拭い去ってしまう。これらがなくても道徳の先生方が最終的には拭い去ってくれる。そして我々が旅に出ると、子供から着衣してきた衣なぞ、もう流行遅れで無礼としても見られるゆえにさっさと脱ぎ捨て、持ち帰ろうと考えるものはいるのだろうか？我々は遠慮することなく、社会に合わせて軽々と全てを利用する。我々は美しい哲学を「趣味と情熱の愛撫」を身につけている。[20]ギリシア人とローマ人の趣味は実に粗野だった。そして最も駄目なのは女性との交際に要求される礼儀を持ち合わせていなかったことだ。プラトンやキケロは、形而上学や男性の技能については何巻にもわたって論述しているのだが、女性について一言も言及しない。今日では誰が何かの作品を読む際に、例えばそれが荒れた島に

18 （ヘルダー注）ヒューム『雑論集』第四部、二四
19 （ヘルダー注）ハード『旅についての対話』
20 （ヘルダー注）ヒューム『政治論集』試論一、一七、二三

残されたフィロクテテス[xi]であっても、恋愛沙汰を取り扱わないものを読もうとするだろうか。ヴォルテールは確かにいるが、そのことに彼自身警告していることを忘れてはならない。婦人方こそが我々の観客なのであり、趣味と哲学に関する我々のアスパシア[xii]なのだ。我々はデカルトの座標やニュートンの引力を、御婦人向きにコルセットにはめることを心得ている。歴史でも説教でも、そのほかなんでもご婦人方に向けて書く。我々の趣味が上品な愛撫になったのは証明するまでもなかろう。

「美しき芸術と学問」。その粗野なものは、[21]無論古代人が惨めで不安定な統治制度である小さな共和国の人間が作り上げてきた。だがデモステネス[xiii]のあの雄弁性、ギリシアの演劇も粗野であることに変わりはない。あの賛美されてきた古代ですらも粗野なのだ。そしてその絵画や音楽は膨れ上がった童話であり、悲鳴の雄叫びにすぎない。もっと洗練された芸術の開花は、幸福な君主の登場を待たなければならなかった。ルイ太陽王の宮廷を模写することによってコルネイユは英雄たちを、ラシーヌは諸々の感情をその作品に描いたのである。真実と感動と趣味の全く新しいものが算出されたが、それは寓話的で、冷淡で絢爛さのない古代人には無縁のものであった。すなわちオペラである。オペラに幸あれ。我々の美しい芸術全てを結集させて、競い合わせる新たなジャンルだ。

幸福な君主制において、そのほかにも様々なことが考え出された。[22]昔の衒学的な大学の代わりに、輝かしいアカデミアが作られた。ボシュエは熱弁と説教と年代記を統括した「歴史」というものを考え出して、クセノフォンやリヴィウスの単調な記述を遥かに凌駕している。ブルダルー[xiv]はデモステネスより遥かに優れた演説様式を生み出した。メロディーを必要としない新たな和音ができて、新しい建築術も考案され、皆不可能だと思っていたが新たな様式の支柱が作られた。更に後世が最も賛美するだろうと思われる平面建築術が開始された。そして自然の全ての産物を取り入れて園芸術が生み出された。均衡と対称でいっぱいであり、自然を伴わない自然というべき代物でそれは永遠の喜びをもたらす。幸いなるかな、君主制の下、我々だけがなんと多くのものを発明したことだろう！

そして最後に哲学が始まった。[23] そしてその斬新さといったら。体系も原理もなく常に自由であり、時代が変わればその理論と正反対である。論証はなく、全てを機知で覆う。というのも「全て厳密な哲学は世界をより良いものとしないからだ」とのことだ。[24] ついには、素晴らしい

---

21（ヘルダー注）ヒューム、試論四、一六、一七、ヴォルテール『ルイ十四世の世紀』また近代文学の無数の賛美者たち
22（ヘルダー注）ヴォルテール『ルイ十四世の世紀』
23（ヘルダー注）『百科全書』序論。ヴォルテール「人間知識の百科全書的展望」
24（ヘルダー注）ヒューム試論一、一

発明だが、回想録と辞典なるものがある。本を読むことができるものは誰でも、そこでなんでも好きなだけ読むことができる。そして最も結構な発明品として、あらゆる学問と芸術の百科全書、エンチクロペディがある。これこそは辞書の中の辞書というべき代物である。「いつの日か、火と水によってあらゆる本や芸術や学問が絶滅しても、百科全書よ、汝から汝において、人間精神の一切がそこに保持されるであろう」。印刷術が学問に対して持っている意義を、百科全書が印刷術に対して持つようになった。[25] 普及と完全性と永久の保存の形態の極みと言えるだろう。

私は更に、宗教における我々の巨大な進歩という最上の事柄について賛辞を呈することにしよう。我々は聖書の異本を調べるという仕事さえ始めた。そして名誉の原理に関して、我々はあの嗤うべき騎士道精神をとっぱらい、紐付きの勲章を子供に宮廷のお土産として与えてしまい、それ以来その原理は向上したのだ。そして何よりも、人間の、父の、女の、そして子供の、徳について今日では絶頂を迎えそれを賛美せずにはいられない。だがこれほどの世紀において、全てを讃えることができるものなどいるのだろうか？「我々は木の頂にいて、天空に浮かんでいる。黄金の刻は近い」で事足りるとも言えよう。

25（ヘルダー注）ヴォルテール「序論」及びダランベール『文学論』第一、四

# 第三章　補説

空気は清涼としていて、木や梢をずっと見下ろしていたいと人は思う。地上の方を見下ろして一瞥すれば、全体とはいかないまでもある程度の部分は目に入る。それは悲しげな様を呈している。神の偉大な被造物。三つの大陸における六千年に及ぶ神の成果だ。華奢な根は液汁をたっぷりと吸い込んでいる。ほっそりと伸びる萌芽に頑強な幹、どんどん伸びていって互いに絡み合う枝、あるいは空一面に広がる枝、なんとこれらが見事に重なり合い、成長していっているることだろう！

これが神の偉大な被造物。だがなんのために、なんの目的ゆえに？この成長、この進捗が狭苦しい学校流所以でないことは、これまで私が十分に述べてきたと思う。萌芽があるならもはや種子ではなく、そして樹があるなら華奢で繊細な萌芽ではない。樹のてっぺんには冠が掲げられている。もし樹冠の全ての枝が幹や根になりたいと思うのなら、樹は一体どうなってしまうのだろうか。東方人、ギリシア人、ローマ人たちは世界に一度だけ生きた。運命が引っ張っていく電気の鎖は、単に一箇所だけ、一地点だけ触れるものだろうか。それ故にもし我々が、一度に東方人にもギリシア人にもローマ人にもなろうと欲するのなら、間違いなく無へと帰するだろう。

「今やヨーロッパには世界にかつてあったよりもより多くの徳があるのではないだろうか？」なぜに？どうやらそれは啓蒙が施されたかららしい。私はむしろその為に徳は少なかったに違いないと信じている。

啓蒙が施されたことによってヨーロッパには徳が増加したということだが、もしこれを今世紀のおべっか使いに尋ねてみたらどう答えるだろう。おそらく次のようだろう。「啓蒙！現代の我々はかつてに比べて実に多くを知ることになった。多くを聞いて多くを読んで、それによって我々はこれほど静穏としていて忍耐も強く、柔和になり、そして無為になった。いかにも、確かに、もちろん、それはそうだろうが、それでもなお我々の心の奥はやさしい気持ちでいるのだ」。こういったお世辞をいつまでも言い続けても仕方がない。要はこういうことだ。我々は大空に広がる細い枝であり、風が少しでも吹けば震えてゆらめいたりするが、爽やかな太陽の光を全身に浴びるのだ。枝や幹や根のはるか上にいながら、遠くまで見晴らし、これは忘れてはならぬことだが、遠くまで美しく囁くことができるのだ！

我々が過去の時代の全ての悪徳と美徳を持たないのは、我々が過去の状態、力、体液、空間、成分を全く有していない体、という理由だ。そしてそれは無論間違いではない。だが、かといってそこから何か称賛すべきことを無理矢理でっちあげたり、自惚れたりするのは筋の通らないことではないか。我々の今日の教養、教育においてそういった称賛すべきことはあっただろうか。そしてそれらの教養、教育によって過去の悪行を帳消しにするようなことを果たしたことがあるだろうか？最後になぜ「一方的に相手を嘲笑する物語」を抱えるのだろうか。それをあらゆる世紀に持ち込み、全ての民族や時代や道徳を嘲笑し、傷つけようというのか。そしてそれによって、民族や時代において一際徳のあるものも、健全で高慢にならず偏見に囚われていない人も、いわゆる実用的世界史の全てにおいては結局「我らの時代の素晴らしき理想」という嘔吐を催させるようなゴミしかお目にかかれない有様だ。大地にはゴミの山が至る所でできて、我々はそこからなんとか穀物を探し金切り声をあげていく。これが今世紀の哲学なのだ!

「今では追い剥ぎも、内乱も、悪行も無くなった」。だがどこで、どのように、なぜそういうものがあるはずなのか？我々の国土は立派に開化され、国道が敷かれ、国家を保護するための部隊が配置され、畑は巧みに区分けされ、賢い司法局は至る所に目を光らせている。ケチな悪党が、たとえ何か悪い行いをしようと企ててそのための力を持っていようとも、そんなことを実行するだろうか？我々の今世紀の善き習俗からすれば、それよりもはるかに簡単で、立派で大層ご立派なやり方で家や部屋やベッドに忍び込み盗みを働くことができるのだ。こういったことを国家がわざわざ給料を払ってやらせた方がいいのなら、いっそのことそうさせたほうがいいのではないか？なぜそんな罰せられる虞のあることをわざわざしなければならないのだろう？そもそも勇気も力も機会もないからではあるのだが。新しき時代の自発的道徳に幸あれ！

「内乱がない」というのはつまり我々はみんな満足して、飽和状態にあって、国王にお仕えする幸福な民だからではないか？それとも、その原因は正反対のものに起因するのだろうか？つまり「悪徳がない」からで、それは我々が美徳に魅惑され、ギリシア的な自由、ローマ的な愛国心、東方的な敬虔、騎士的な誉れを最大限に身につけているからではないだろうか。それともそういうものは何一つ身につけておらず、残念ながら彼らの性向の一側面としての悪徳を持つことができないだけだからだろうか。風に揺られている細枝のその頼りなさよ！

だがそれは我々の長所においても同様であり、つまり萎れていて、狭い視野しか持たず、全てを軽蔑し、一人で勝手に自惚れて、それでありながら何も実行しないのだが、それだからこそなんの作用も持たない哲学に慰撫されることができるというものだ。東方人、ギリシア人、ローマ人はそうではなかった。

更にもう一つ利点があり、それは我々の教養教育手段を過小評価しているということだ。宗教的な観点で言えば、世界がこれほど人間らしく神学的に啓蒙されたことはない。世俗的には、これほど人間らしくなって単一的になり、従順で秩序だっていることはない。正義の観点から見れば、人間的で平和を愛好することはなかった。最後に我々の哲学から見てみると、これほど今のように人間的で神的であったことはない。だがそれが誰によってなったか、と聞かれると誰もが我こそがという身振りをする。「我々こそが医者であり、救世主であり、啓蒙者であり、新たな創造者だ。狂乱に満ちた時代は終わったのだ」。今の時代はそうであれ、幸いなるかな、肺結核の患者はじっと横たわったまま、うめきながら感謝している。感謝しているが、本当に感謝しているのだろうか?そうだとしても、この感謝は彼が弱り意気消沈して慄いているような人間による感謝ではないか?より良いものを喜びと共に感じる感受性がなくなったとしたらどうだろう。これを書いている私自身ですら、しかめっ面をしながら嘲笑するその毒気に晒されるのではないか？次のように考えたら十分ではないだろうか。我々にはマニファクチュア、商業取引、芸術、安息、安全そして秩序があり、政府はもはや国内において戦うべき相手はいない。我々の国家体制はどんどん大きくなっていく。我らの視野はどんどん広がっていき、ずっと先まで見通した上であらかじめ策を打てるほど広がってゆく。こんなこと今までの時代であっただろうか？かくて！我々の国家、商業、芸術の歴史書にもそう書いているわけだ。人は皮肉を言っているのかとこれを読んで思うが、だがこれこそが現代人の本当の考え方なのだ。これ以上私が何かを付け加えても甲斐のないことだろう。それが単なる疫病であり、その疫病の治療を妨げるようなものでないのだといいのだが。瀕死状態で汗をかいていながらアヘンを飲み込んで夢の中で快適に微睡んでいる。その病人を助けることができないというのに、彼のその夢見心地な気分を邪魔するのは野暮というものだ。

＊＊＊＊＊＊

それ故、病人がもっと気に入りそうなことを言うとしよう。もちろん我々はこういった発展過程において、運命が提供する場所や目的や道具にも我々自身がなっているのだ。

概ね、哲学者が自分を神と確信するとき、最も動物に近い存在となる。自信満々に世の中の完成の概算を行うときも同様だ。哲学者は全てが淀みない一直線に進んでいくものとみなし、後世の人間や世代は更に前進していき、その進展において人間だけが徳と幸福の代表者となり、その理想が完成される、という。そのため最も前進していった者というのは、全ての締めくくりである最後の人間、最後の世代ということになる。「見るのだ、世界はこれほどまでに啓蒙化され、徳がもたらされ、幸福が広まったのだ。私は竿の先に立っている。世界の秤の黄金の指針ともいうべき存在であり、私を見るのだ！」

だがこの賢者は考えもしなかった。このことが少しでも天から地上へとその囁きでかすかにでも聞こえなければならなかったのだが、それは人間が所詮どこまでいっても人間だということだ。全ての人間と比べてみて、人間は人間以外の何者でもない。人間の中に天使と悪魔が潜んでいると言われることもあるが、随分と結構な物語だ！彼は反抗と消沈の中間物に過ぎない存在であり、必要の満足へとあくせくし、無為と奢侈に衰弱する。機会があり精進しなければほとんど全てを極めることができるが、それがなければ何者の存在でもない（善と悪の象形文字、歴史はそれでいっぱいだ）、それが人間だ。常に運命の道具に過ぎないのだ。

賢者は更に考えなかった。この秘められた二重的な存在は無数の形態へと変容できる者でもあり、地球の構造からむしろそうならざるを得ない存在だったのだ。この存在は風土や時代状況によった創造物であり、そのため国や時代によって徳とされるのが各々異なり、空の下で芽生えるがそのまま伸びていくことのない花は、死に絶えていくか惨めにも萎れていくかのどちらかしかない（これは物理学、心理学、政治学の歴史と言っても良い。これについては我らの時代においてすでに無数の考察が行われ、熟慮が重ねられ続けている)。こういうことが全てありうるということ、必然的なものであるのは間違いないが、だが外側がどれほど変化を蒙ろうとも、その本質と幸福になるための核は残り続けるのであり、あらゆる人間の期待からしてもやはりそうだと言えるのだ。

更に次のことも思い巡らなかった。次のことが実際に発生するとき全能の父の果てしない配慮に基づく者だということを。つまり人間性の中には、幸福と徳を受容するための見えない萌芽が宿されており、地球全体そしてあらゆる時代の隅々までそれがあり、そして多様な形で育てられていくということ。そしてそれは確かに多様な形として顕在化するが、実際は力の混淆具合が一定限度内で保たれているということを。

最後に次のこともこの賢者は考えなかった。浅はかな被造物よ！つまり人類全体に対しての神の巨大な計画が実行されることがありうること。そのようなことは、たかだか被造物如きには見積もることなど到底できないのであり、というのもその計画はその被造物個人を目指しているようなものでは到底なく、ましてや、十八世紀の玉座に座るとか言われる哲学者を目指すなどあり得ないからだ。人類史の舞台の各々場面で、各々に各々の役割が割り当てられ、それを行うことで幸福になりうる。その各々の場面と役割が集合して全体ができて演し物となりうるのだが、無論各々の我儘な出演者にはその演劇全体のことなど知ることも見ることもできない。だが正しい地点に立って、劇の続いていく全体像を静かに待っている観客だけは、見渡すことができる。

　全宇宙を天から地へと眺めてみよ。手段とは？目的とは？全ての手段は数百万の目的ではないだろうか？全ての目的は数百万の手段の目的ではないだろうか？全知全能の神の鎖は幾重にも縺れ合っているが、どの環も各々の場所でその一部を成している。だがその鎖の端が、どこにかかっているのかはわからない。どの環も自分が中心だと思っていて、この点に光が差し込んだり、あの点に波が注がれたりしてもそれは単なる偶然だといった妄想に耽る。大した妄想だ！だがこういう波や光や、中心だと思い込んでいる者たちによって作られるこの巨大な鎖は、どこへといき、誰の者であり、そしてそれは何のためにあるのだろうか？

　人類史において他の態様があり得ただろうか？ここにおいてもあらゆる波が押し寄せ、時代は次々変わっていく。これもまた「全知全能の者の建築計画」ではないか？この世界の隅から隅までの住居が「神の絵画」を示すとするならば、そこに住んでいる者の歴史もやはり同様ではないだろうか？とするならば住人は飾りであり、絵画や風景の一部である。無限の場面によってなる終わりのないドラマだ。全ての時代と大陸と人間を描く神の叙事詩だ。それは多様な形を持つ物語だが、大きなテーマが一つ全体を貫いている！

　全てを貫くこの意味、この目が少なくとも人類の外にあるのは間違いあるまい。ぬかるみに這う昆虫よ、再度天と地を見るのだ！生と死を包み込むこの世界全体において、君は自分が唯一無二の中心点で、森羅万象が君に向かって作用しているとでも言うのか？それとも君は（誰が聞いたかは知らぬが）誰と？どうやって？いつ？より高く君にも知らない目的へと向かっているというのだろうか？この目的のために、明星とその側にある小さな雲も、君も、君が今踏み潰している虫けらも、同じく力を貸しているのだ！だが広大無辺の世界が全体で行われる一瞬の作用は、否定しがたくまた測定できるものではない。広大世界は続いていき、事柄は次から次へと発生し、人類は進歩していく。創造者による叡智と錯綜に満ちたドラマで、君はそれと同じようなものあるいはそれ以下のものを想像できるだろうか？もしこの全体が君にとって百の門が閉じ、同時に百の門が開いた迷宮であるとするのならば、その迷宮こそが「神の神殿」なのであり、それは彼の企てを全て成就し、そしてそれは神に喜ばしいものであり、君にとってではない。

全世界は深淵だが、神はそれを一瞥して全体を捉える。その深淵にて、私はあらゆる支えを失って立っている。名もなきその巨大な作品を見給え。だがそれには至る所に名前がついており、声が鳴り響き力がみなぎっている。私は鳴り渡るそれらの声が調和して聞こえてくる一点の場所にはいないが、漠然とにせよ錯綜して聞こえるにせよ、その声は聞こえてくるのだ。その声から私はその調和が有している多くのことを知り、聞けるのだ。これは時間や空間などを超越した讃美歌というものだが、この地上に須臾《しゅゆ》として去っていく人間の耳には、それからわずかな音を聞くばかりだ。時には嫌な不協和音として耳に入り不機嫌になることもあり、というのもたまたまこの歌声が鳴っているのを耳にしただけであり、不運にも部屋の隅っこに旋風が起きてそれに巻き込まれたかもしれないからだ。後の時代の啓蒙人はその音を全て聴こうとするが、それだけでなくあらゆる音の中の究極形態ともいうべき音になるとすらする。あらゆる過去の現象の鏡となり、全てのシーンの貫くテーマの代表者を気取ろうとする。賢ぶった小僧の冒涜行為だ。いやいや、最後の音の残音の余韻や鳴っている音の一部になると言うのならまだしもだが！

全能の父の巨大な樹木は[26]縹緲《ひょうびょう》の空へとその頂を伸ばし、一方その根は地の底、地獄の深みに達しているが、その樹に留まった鷹なのだろうか私は？それとも、神の肩に乗ってその者の耳に世界中の夕方の会釈を毎日届ける鴉なのだろうか？だとしたら私は樹の葉っぱの一繊維に過ぎぬのだろう？あるいは世界中の書物の小さなコンマか棒線に過ぎぬのだろう！

だが譬え私がなんであれ、天からの声を地に伝え、他の者同様に、何某《なにがし》かの私の職務に意義をもたらしたい。全体に資するために何某かの力を用いて、幸福を享受しながらも分をわきまえつつこの力を用いたい。わが兄弟の誰が、存在する前から特権を持っていたであろうか。そして人間という世界の家具を整然と使用するためには、彼が金の器となり私が土の器になるのならば、私はそうなろう。目的、響き、持続、感情、有能さ、これらについて親分に異議を挟むことはできるだろうか？私は無視されているわけではなく、誰かが贔屓されたわけでもない。

26（ヘルダー注）北欧神話『エッダ』における巨大さの観念（巨木）

人類の感受性、活動性、有能性は配分されている。川がここで切れれば、あそこで始まる。多く与えられたものは、多く成し遂げなければならない。多くの感覚で慰撫されるものは、多くの感覚で努力しなければならない。何かを言っては黙り、何か見解を述べればすぐに曖昧にしてしまうような思想が、今しがた私が述べたことよりも、全世界の歴史の光で大きな感動をもたらすとはとても思えない。

＊＊＊＊＊＊

この思想が歴史全体の歩みの中に出現すること、少なくともそれが私の願いだ。歴史はオリンピックの巨大な競争路だ！もし我らの時代が何か高尚なもの役に立つことがあるならば、それはその競争路が遅れてきて、高みに達し、希望が叶うことだ。数千年ですでにいかなることが成し遂げられたか！それによってより高みに達するために今度は別のことを成し遂げなければならない。歩みは我らへと向かい、そして我らから向かわれる。哲学者よ、君が今世紀の情勢を讃え利用するならば、君の前に先史について述べた本が眼前に置かれていることを言っておこう。その本は七つの封印で閉じられた本[27]であり、予言に満ちた神秘の書物だ。君に終末の日が訪れるというのだ、読んでみると良い！

そこに東方がある。人類の揺籠の時代ともいうべきものであり、人間的な性状の全ての宗教の始まりとも言える。世界全体が冷たくなって、そこでは宗教が軽んじられその火が燃え尽きたというならば、そこから再び宗教の言葉を、その火と炎の精神を掻き立てなければならない父らしい威厳と、[28]今なお「無垢な子供の心」を取り戻せる素朴さを以て、これを実行しなければならない。人類の子供時代は各個人の子供時代に作用を及ぼす。それは原初の東洋にて生まれた最後の未成年者ともいうべき存在だ！

いわゆる洗練された文学や芸術を生み出した若者はギリシア人だ。それよりもさらに先にある幾世紀の歴史は、我々の目には子供っぽく深くてあまり実体がわからないものかもしれない。だが世界事象のまさしく曙光ともいうべきそれらの時代は、後世においてどれほどの影響を及ぼしたことだろうか？人間精神の最も美しい花、英雄的行為、祖国愛、自由の気性、芸術への愛好、歌唱、詩の声色や物語の朗読、雄弁性の轟き、市民的叡智の出現、今日見られるようなこれらは元々ギリシア人を原点としている。もしギリシア人にはそれらが備わらず、その一方彼らに空と土地と国家制度と幸運な時を与えてみよう。やはり彼らは同じようにこれらを発明し、形成し、名付けたであろう。我々も彼らの後を追って形成し、名付けている。彼らの時代はあれだけのことを成し遂げたのだが、それは一度限りのものだった。人間精神は全力でそれ

27（ヘルダー注）「ヨハネの黙示録」五章一節
28（ヘルダー注）軽んじられた書物――聖書！

をもう一度成し遂げようと試みるが、もはや精神は埃に過ぎず、萌え出ようとした芽は灰のまだった。ギリシアは再びやって来なかった。

最初の収集者で分配者であるローマ人は、元々は別のところで育ったのだが、やがて成熟した果実を掌中に収め、それを世界に分配した。確かに彼らは、花や樹液を自分たちの場所にそのままにしておく他はなかった。だが果実だけは世界へと分け与えた。太古の世界の遺物にローマ的な衣装を着せ、ローマ風に仕立て上げ、ローマの言葉で他の地域に伝えた。もしそれらが直接ギリシアから伝えられたらどうだったであろう？ギリシア精神、ギリシア的教養教育、ギリシアの言葉。これらが伝えられたらヨーロッパでどれほどの変容を蒙っただろう！だがそうはならなかった！美しい多島海に囲まれながら、北方から遠い場所に位置付けられている。そこに宿っている人間精神は、まだ細くか弱い。どうやってそれで他の民族と戦うというのだ？自分に従うことを他の民族に強制できるだろうか？粗野な北方の殻がどうやって上品なギリシアの香りで自分を包むというのか？それゆえに、イタリアが橋渡しの役割を担った。ローマは果実が硬くなりそれを分配するための取り持ち役を担った。新しきキリスト教の世界の神聖な言葉でさえ、それに関するもの全てを含めた上で、一千年を通じてヨーロッパ全体でローマのものだった。

ギリシアが再度ヨーロッパに働きかけることになった時ですら、直接的に作用を及ぼすことはできなかった。泥によって往路するのが大変だったにせよ、アラビアがその通路となった。

アラビアはヨーロッパ形成の歴史における草稿だったと言えるかもしれない。今日見られるように、アリストテレスが彼の数世紀を一人で支配でき、スコラ的な思弁で万事に当たる蛆虫やダニ共をうみだした。もし運命が、プラトンやホメロスや詩人、歴史家、雄弁家たちがもっと早くその活動を行うように采配したら、どうなったことであろう。だがそうではなかった。その範囲を超脱していたのだった。アラビアの宗教や国民文化はそういった花を忌み嫌っていたのだ。もしかすると、当時のヨーロッパではそれが開花することがなかったのかもしれない。逆に、アリストテレス流の屁理屈やアラビア風の趣味が当時の時代と馬が合ったようだ。これが運命というもの！

ヨーロッパにおいて古代世界の世紀に育った植物は、その後枯れて摘み取られるところだったが、実際は地球上の民族に広まったのだった。諸民族が、何も知らずどうやって、何のためにかも分からず、仕事へと駆り立てられていったのは実に不思議なことだった。運命は各々の都合に応じて徐々に葡萄畑での仕事に彼らを駆り出した。すでにそこで全てのものは生み出され、感じられ、それらに巧妙な工夫ができる限りもたらされていた。だが今や全ては方法に、学問的な形式に当てはめられ、そしてやってきたことといえば新しいが冷淡極まる機械的な発明であった。これが事を大きくした。このヨーロッパ的で北方的な冷たい抽象概念的な機械は、全てを支配するものの手に渡ると巨大な仕事道具となる！そこで種子は、地球上のほとんど全ての国民の間に広がる。少なくとも全てが知られ、アクセスできるようになる。チャンスがやって来れば、諸国民はそれを手にすることもできるだろう。ヨーロッパはこの種子を乾かし、糸に通し、永遠化した。実に奇妙な地球だ。かつては森と氷島からなる深淵だが、小さな北方諸国が地球上でなんたることを行ったか、そしてこれから何をするというのか！

いわゆる啓蒙や世界の形成は、地球上の細長い一地帯だけに及んでこれを支えているに過ぎない。そういったわけで、その動き、状態、流通を多少なりとも変えようとするのならば、他も全て変化せざるを得ない。ではどうやって？例えば学問、宗教、宗教改革が導入されただけでも世界の有様はどうなっていただろう？北方諸民族の混ざり方が違っていたり、歴史に登場した順序が異なっていたとしたらどうだろう。教王政治があれほど長い間君臨して世界を動かす土台とならなかったら？このような質問はいくらでも湧いてくる。だが所詮夢物語だ！現実は違っていたのだ。後からではいくらでも見返して、なぜこうならなかったのかという理由づけは可能だ。だがそれは瑣末なものでしかない。

どうしてある国民の後に出現した国民が、前の国民の所有物だったものを全て持っているのに、後の国民が前のと同じようなものとはならなかったのか、と言う人もいる。だが例え文化手段は全く同じだとしても、文化そのものが全く同じであることはありえない。かつての文化に影響を及ぼす当時の自然がその時にはもう変化してしまっているからだ。ギリシアの学問、ローマ人へと受け継がれるとローマ的なものとなった。アリストテレスはアラビア風にまたスコラ風になった。そして新たなギリシア人とローマ人は——なんと情けない話だ。マルシリオ[xv]

よ、君はプラトンなのか?リプシウスよ[xvi]、君はゼノンなのか?君の好きなストア派はどこに行ったのだ?かつて数多の業績を上げたあの英雄たちはどこに行ったのだ?君たちのいう新しいホメロスや雄弁家や芸術家たちは、君たち自慢の奇跡の世界というべきものはどこにあるのか?

また、どの国もその形成において後退しなければならず、その際元の姿に再度戻ったということはなかった。運命の道というものは、鉄のように険しいものだ。世界と時代によって演じられるシーンは、再び演じられることはない。果たすべき役割も、一旦終わればそれまでだ。今日は昨日になりうるのだろうか。神は諸国民の間に巨人の足取りで踏み込んでゆくのだから、人の力でそれを引き戻そうとしても、その足取りにとっては児戯に等しい力であろう。プトレマイオス家の王たちよ、君たちはエジプトを再び興すことはできないだろう!君たちハドリアヌス帝よ、やはりギリシア人を再度興すことはできないのだ。ユリアヌスにもエルサレムにユダヤの神殿を再興することはできなかった。エジプト、ギリシア、そして神の国である汝よ、汝らは山をむき出しにして、創造的精神の痕跡や声もないその有り様は実に惨めなものだ。創造的精神はかつて汝らの上を歩み、世界中に語りかけたというのに。なぜだ?その精神は語り尽くされたのだ。時代を圧倒したその力は汲み尽くされた。剣は使い古され、砕かれた空の鞘が放り出されている。疑いや怪訝、驚き尋ねたくなるようなことはいくらでもあろうが、私が述べたのが結局その答えなのだ。

＊＊＊＊＊＊

「諸国民の上をゆく神の歩み。法律、時代、道徳、芸術の精神が、相次いで現れ、準備され、発展し、互いにぶつかり合っていく」。神の啓示さながらの真実性と豊穣さを持った、人類の鏡というべきものがあればいいのだが。準備作業は十分になされている。だが全てはまだ無秩序で熟していない。現代では我々はほとんど全ての国を、そして前にあった全ての時代を這い回り、掘り返した。だがなぜ掘り返したかは我々にはよく分からないときている。歴史的事実や調査、発見、旅行記等はいくらでもある。だがそれを選り分け、篩にかける作業は一体誰がするのだろうか？

「諸国民の上をゆく神の歩み」。モンテスキューの高貴で最高傑作とされる『法の精神』は、一人の人間だけで作り上げられるものではなかった。それは彼の世紀における哲学的風潮による、ゴシック建築にも似たものだ。機知！それだけに過ぎぬこともある。事柄を実際の場所から切り離し、三つか四つの広場に運んできて、三つくらいの惨めな決まり文句を用いる。それは所詮言葉で、それらを粉々に砕木、そして空虚で、無益で、漠然としていて、錯綜を極めている機知のような言葉にまとめ上げられる。故にこの作品を通して、あらゆる時代、国家、言語があたかもバベルの塔のようにひしめき合っていて、そこで各々がガラクタから高価なものまでなんでも、三本の細釘にぶら下げることになってしまう。これがあらゆる民族や時代の歴史であり、つまり神の偉大の生きた所業の時の流れにおいて見たものというわけなのだが、実際のところは、それは各々の民族と時代の物乞いと富と胃袋の有り様が三本の釘で展示された、貧弱な展示会に過ぎない。尤も、確かにそこにはとても高貴で大層な資料も詰め込まれていたりはするのだが、モンテスキューよ！

幾霜を経るたびに神殿は次から次へと建設されていくが、それらの姿を復元してくれる人はいないだろうか。最古の時代である人類の幼年時代はすでに過ぎ去った。だがその名残とも言える遺物はどっさりと残っている。素晴らしい遺物であり、父なる神がこの子供達に与えた教えの書、啓示が残っている！人間よ、お前はこの啓示が古すぎるとでも言うのか。ずいぶんと賢くなり、耄碌したものだ。お前の周りを見てみるといい！地球上にいる民族の大部分はまだ幼年期にいるのであり、まだ子供らしく言語を操り、子供らしい習俗を持っており、教育において規範に従う。未開と言われる場所へと旅して、耳を澄ましてみよ。聞こえてくる音に耳を傾ければ、聖書の内容が理解できよう。その息吹は、啓示の生きた注釈とも言えるだろう。

ギリシア人とローマ人は、何世紀もの間偶像礼拝を存分に堪能した。彼らはあらゆるものを探し出し、明るみに持ち出し、擁護したり褒めたりするのに狂信的なほどの熱意を持つこともしばしばであったが、それはなんと偉大な予備作業で貢献であっただろうか。並外れた崇拝の精神が鎮まり、誰もが自分の民族をパンドラとして慰撫するあの党派心が十分に均衡を保つのならば、ギリシア人ならびにローマ人よ、その時こそ我々は君たちを知り、適切に配置することができるようになろう！

アラビア人に至る脇道が現れた。彼らについて知るための記念碑的なものが十分にある。もともとは全く違う目的のためではあったが、ともかく中世の歴史を示すものが見出されて、部分的にはまだ埃かぶって埋もれているものも（我らが啓蒙時代になんでも期待できるとするならば）、半世紀ほどでそれらも発見されることだろう。我々の旅行記の数は増加していっており、内容も良くなっている。ヨーロッパで退屈を持て余している人たちも、ある種の哲学的な狂気に駆られて地球上を駆け回っていく。我々は世界の隅から隅まで史料を収集する。そしてその史料の中で、我々が見つけようとは思いもしなかった人間の歴史の根幹をなす秘奥にいつの日か見出すことだろう。

我々の時代はもう間もなく、多くの人の目を開いてくれるだろう。それはタイミングよく、少なくとも砂漠での喉の渇きを癒す理想の泉の如く、我々を慰撫するだろう。我々は今軽蔑している時代を、尊重することを学ぶだろう。人間性の普遍と幸福に関してより関心が湧いてくることだろう。現にある人間よりもさらに高い理想的なものへの見通しが、瓦礫になっている歴史から結論として現れる。我々はいつも然るべき場所に然るべきものを見出すだけでそういった高い理想的なものへの道のりには混乱するばかりだったのだが、その結論によって我々にその成就のための全体計画を示してくれるだろう。最も高尚な意味での人間性の歴史――それがやがて誕生するだろう。それまでは偉大な教師であり立法者であるモンテスキューの誘導と誘惑に任せようではないか。彼は二つか三つの言葉で全てを測ろうという、大変結構な規範を示してくれた。彼があげた二つか三つの統治制度を見れば、それがどこに由来するもので、どれほど限られた尺度に限られた時代にしか通用しないことはすぐわかるものなのだが、そこに彼は全てを還元しようとする。自分の民族だけでなく全ての民族と時代の法の精神において、彼らの言いなりになるのは実に快適なことだ。これもまた運命なのだろう。人間というのはもつれた糸を手にしてはそれを離そうとはせず、一本一本引っ張っては楽しんでいるのだが、そうするともつれはより一層ひどくなるばかりだ。糸のもつれを、優しくゆっくりと解いてゆくだけのゆとりのあるものは、実に幸せ者だ。糸はどこまでも広く伸びてゆく、それが世界の歴史というもの。大小問わない全ての国はおろか、小鳥の巣までもそれを目指して努力している。

＊＊＊＊＊＊

我々の時代のあらゆる出来事ははるか高いところにおいて生じ、そのため我々自身も遠くを目指す。私は思うのだが、一人一人の努力では到底これを成し遂げられず、そのため喜びも少ないため、その補いとなるのを上述した二つのことが果たしてくれよう。だからこそ励ましあって強くあらねばならない。

我々の時代のソクラテスよ、君はもうソクラテスのように活動するわけにはいかぬ。なぜならば君にはあの小さく、狭い、力強い、緊密な舞台はもう用意されてないのだから。時代、習俗、国民性、全てにおいて簡素さは失われている。そして君の働く領域ももはや曖昧なものとなった。君はアテネの市民ではなく世界の市民となったのであり、そのためにアテネでなすべきことがもうわからなくなるのは至極当然なのだ。君が今していることについて、確たる手応えを感じないのもやはり当然。君が成就したことに喜びを感じないのもこれまた当然。それが君のダイモンだ！だが聞いてくれたまえ、君がソクラテスのように行い、謙虚な姿勢で偏見に立ち向かい、正直に博愛精神をもって、我が身を犠牲にしながらも出来る限り多くの真理や徳を世の中に広めるならば、君の領域の広さが君の漠然とした点や誤った点の補いに多分なってくれるだろう。君の本を読んで、百人が理解しないだろう。百人はあくびをすることだろう。百人が軽蔑して、百人が中傷するだろう。百人は大蛇に首を絞められるように因襲に圧迫されつつも、そのままでいいとい態度をとるだろう。だが覚えておくのだ、もう百人が残っていてその彼らに君は果実をもたらすかもしれないのだ。君がとっくにこの世からいなくなっても、後世が君の作品を読みそれをより適切に応用するかもしれない。現世と後世こそが君のアテネなのだ。だから語るのだ！

現世と後世！永遠なるソクラテスよ。世人は死んだ者の胸像をポプラの葉で飾って、それで不滅だなんだと称しているのだが、君はそんな者ではない。君はもっとわかりやすく、生き生きとしながら、話すのだ。その領域は狭いが、適切な場所でもあろう。プラトンとクセノフォンは思い出と対話の中で詩を空想しつつ描いた。それは原稿に過ぎなかったが、我々にとって幸運なことに時の川から押し流されずに他の平凡な百の作品よりも立派に取り扱われた。君が書いたことにも、一語一語、世界中に永遠に残る価値があるはずなのであり、というのも君は(少なくとも史料とそこからの推測を鑑みて)、世界と永遠のために書いたからだ。君が書いたものは誰の手に渡るだろう。どういう偉い人や裁判官の前で君は語ることだろう!老いたソクラテスですら語らなかった、徳を光と明晰さを以て教えるだろう。そして博愛を人に勧めるだろう。博愛が現実的なものになったら祖国や市民愛よりもずっと立派なものに違いない。銅像によって記念されている三十人の救世主が対峙した困難よりもさらにずっとひどい困難な事態にあっても、君はなお幸福を広めようとする。これこそが人類のソクラテスというべき存在だ。

自然の教師よ!君はアリストテレスやプリニウスよりもどれほどのことをもたらすだろう。自然の神秘性とその働きがいかに多く君に開かれていることだろう。それを他人の前で見せてあげるにあたって、アリストテレスやプリニウスが持っていなかったどんな素晴らしい手段を君は持ち合わせているだろう。何たる高みに君は立っていることか。ニュートンはどうだろう。彼が人間精神全体のためにどのようなことを行ったか、それらが皆にどれほどの作用をもたらしたか、変えたか、成果をもたらしたか、同時代の人々をどれほどの高さに持ち上げたか、それを考えてみたまえ。君はその高みに立っている。君の頭というちっぽけな建物を神の偉大な創造についての知識（宇宙進化論、動物の発生、形態発生等々）[29]でいっぱいにするよりも、ただ神の流れに身を任せて、その力のあらゆる形態や姿や営みを忠実に感じ取り、それを人にも感じ取らせようとさせる。君は君自身に仕えるのではなく、神に仕える。存在の全領域へと栄光を届ける使者よ！その時代の高さからのみ、君は天へと飛翔し、発見し、その高貴で充実した叡智を語ることができるのだ。無垢で、力強く、慈悲深い神の観点から人間の精神を癒すことができ、それはそれ以外の汚水の如きもので出来るはずもない。それを君は現世と後世のために行う。無論、君は数多の発見者や研究者の中のほんの無名な一人に過ぎない。だが現世と後世のために語るのだ。そしてそれはアリストテレスやプリニウスすらも凌駕するほどにどれほど高く、どれほど素晴らしいものだろうか。君は現代の神の使いだ。

今日の医者は、ヒポクラテスやマカオンが当時もっていたよりも、どれだけ多くの医薬品を持ち人間性に通じていることだろう。この二人と比べれば今の医者はユピテルの息子と確かに言って良い。そして今日の医者がかつて人間的だったその時代の感受性を備えていたならば、どういうことになるだろう？肉体と精神を病む患者にとっては、神、発見者、救世主として映るだろう。若者が咲き始めた人生の薔薇を手折ろうとするがそこに火の蛇を見つけると、その若者を（その医者だけが出来ることだろうが）我に返らせ、両親のもとに戻してやり、更に後世に（それが生きるか死ぬかは我々次第だが）、世界に、道徳に再び帰せるのはその医者だけだ。あるいは、仕事や労苦に身を捧げ功績を挙げているものがいたとしたら、その者を支え甘美な報酬を与え、その報酬として彼が何よりも欲して唯一享受できる快活な老年になるのを与えてやれるのもその医者だけだ。快活な老年というのは、墓に入る前の数年だけだとしても彼を救ってくれるだろう。それは彼の最後の眼差しにまざまざと映る人類の無数の災厄の唯一の支えとなってくれるだろう。そういった年月が善きものとなり、死から蘇ったそのひとは周りに慰めや朗らかさを与えるだろう。救われた人間にこれほどのことが出来て、その一方無垢な人間が多様な態様で惨めに死に絶えてゆくのが今の時代だが、人間の心を備えた医師よ、君はそういった時代においてなんという存在なのだろうか！

正義、宗教、学問、諸芸術の立ち位置や部門を全部わざわざ見て回る必要があるだろうか？それぞれの本質が高まれば高まるほど、そしてその及ぶ範囲が広くなればなるほど、それは実に結構で好ましいこととなる。そして君は自発的にそのように働かずにはいられなかった。誰かに要求されるでも強制されるでもなく、君の立場や部門において、あれほど立派に偉大に高貴に行った。他の何物かによって呼び起こされたわけでもなく、むしろ全てがより集まってきて、君は己の所業をなす機械に過ぎない存在となり、君自身の人間的な深い感情は眠りにつかせたのだった。君に月桂樹ではなく茨の冠を被らせたのはこういった異常とも言える事態所以なのだ。

---

29 （ヘルダー注）ビュフォンより

それ故に、君の隠れた試練を経た徳は、より一層純粋で、静かで神々しいものとなる。他の時代での美徳は、刺激や褒賞の一環としてもたらされたものだが、それは結局市民の装飾や肉体にとっての豪華な服飾に過ぎない。だが君のは、生きた血液が流れている、生きた生命なのだ。我々の時代の支えや軸として成り立ち全てを動かしている業績について描写しなければならない場合、私はどういうやり方をとればいいだろうか。支配者、牧人、民を養う者。バネの力を備え現代を動かす彼らの力は、半ば全能とも言える。彼らの姿、彼らの見解、彼らの意向、彼らのあえて沈黙して物事をその成り行きに合わせるやり方、これらがそれをすでに思わせている。精霊が彼らに対して、「汝らは群れ全体を、どれほど高尚な事柄もいわば機械として扱い、目的を成し遂げるべきだ。人類のより大きな全体のために養う。それは実にある目的なのだ」。支配者、牧人、民を養う者は、その手に全能の王尺を握る。そしてわずかばかりの人力を用いて、ただ意図を掲げ励ましの声を上げるだけで、数年でどれほどの偉業を成し遂げられることだろう。それは黄金の玉座に座る東方諸国の王や人間の頭に座るあの専制君主がやろうとしていることとは比べ物にならない。単に政治的な意図に屈するものは、たとえ最高の身分にいたとしてもその人の心は、あの枝豆を投げさえすれば幸福になるあの男や、穴を吹きさえすれば幸福なあのフルート吹きに比べてさえも賤しいものだ。

民衆の牧人よ、貧しい山小屋に住む父と母よ、私は君と語ることにしよう。かつて君は天国の喜びをもつ父性を有した無数の刺激や誘惑を受けていたが、それももうなくなった。君は自分の子供を自分の考え方で決めつけることはできない。おそらく揺籠にいる段階でその子供は、すでに名誉ある自由の絆（これこそが我らの哲学の最高峰の理想だ）に束縛されることだろう。先祖から継がれてきた家庭のために、父としての習俗や徳と生き方、そういったものを子に教え込むことが出来ない。君の領域にはすでに他の要素が入り込んで錯綜していて、教育や自分の意図を遂行するバネの力は弱まってしまった。子供が君のもとを離れるや否や、今世紀の巨大な光の海に、深淵に、沈んでいくのに気付かざるを得ないのだ。海底に沈んだ宝石、一度沈んだ人間の魂は取り戻すことが出来ない。百花繚乱の樹は早々に土から掘り起こされ、嵐の吹く世界へと植え付けられ、その嵐の強さといったら最も固い幹を有していても耐えられるかどうかといったところだ。逆さに植えられることもひょっとしたらあり得、頭の梢は土に突っ込み、根っこは悲しげに宙に浮かぶ。そしてその樹は間もなく枯れ果てて忌まわしい姿を晒す。花も果実も地上に散らばる。だが時代の澱の最中でも絶望してはならない。君を何が脅し、邪魔しようとも、君は教育を続けなければならない。あらゆる立場や辛苦のために、よりよく、より安全なものへと、より強固なものへと教育するのだ。無為に過ごすなど許されぬことであり、善にせよ悪にせよ君は教育をしなければならない。それが善のものならば、単純な目的や画一的な教養教育なんかよりもどれほど偉大な徳でどれほど大きな褒賞が得られることだろう。今日では世界において、簡素な徳で育てられた一人の教育者が、他のどの時代よりも必要としている。良風美俗がどこも均等に行き渡って、善と正義が均等に行われるならば、なんの苦労がいるだろう。そこでは習慣が教育し、美徳は単なる習慣へと溶け込んでいく。だがここでは違う！美徳は暗闇の夜に輝く一つの星なのだ。土塊と石灰石に混じったダイヤモンドであり、猿の群れや政治のため人間の仮面を被った者どもに混じった、一人の人間なのだ。彼は静かに、だが神の如き例を以てどれほど人の心を育てていけるだろう。自分の周りと自分の後に波を広げて、それは更に未来へと流れ込んでゆくだろう。更に、君のもつ徳がどれほど純粋で高潔なものか、君と君の教え子にある側面には外的なバネが欠けているがその分、別の面には確実に教育のための大きな補助手段があることも考えてみたまえ。リュクルゴスやプラトンが教育できた美徳よりも更に高い美徳を、君は教えようとしているのを考えてみたまえ。現代は静かで、沈黙して、多くの場合誤解され、だがだからこそとても高く、広く広がった徳のための最も素晴らしい時代なのだ。

だから次のことは私には確かなことと思われる。今の時代に完全で大きな善を備えた人は少なく、最高善をもつのはより困難となり、美徳はますます静かに人知れぬものとなるならば、むしろその美徳が実現すればより高く、高貴で、永遠に考慮を発揮し続け大きな成果をもたらすものにもなりうる。我々は多くの場合自分を捨て去り否認するから、直接的な報酬は得られない。広い世界に種子を撒き散らして、それがどこに蒔かれ、根付き、よい実を結ぶかどうかは見ることがない。誰にも見られず当てのないところに種子を蒔いて、そこからの収穫を期待しないのというのは、確かに高貴な営みとも言え、収穫の実りはもっと大きなものともなりうる。そよ風に蒔いた種子を委ねるが良い。それが遠くへ運ばれて、芽が一斉に萌え出たら、我らの世紀の高貴な部分も静かに黙しつつもそれに貢献したということになる。私の目はなんという至福の時代に目が眩んでしまうことだろう！

＊＊＊＊＊＊

木の梢に花が咲き、実がなる。そこに神の所業の中でも最大なものの予兆を垣間見るが良い。啓蒙――それは必ずしも我々に役立つものとは言えぬが、もしそれが表面的ながらも大きく広がってゆき、深い流れへと溶け込んでいく場合、そして同時に我々が小さな海で、大海へと近づいていく場合、それによって世界中の観念が組み合わされることとなる。自然、天と地、人類といった我々の世界において提供されうるあらゆる知識が集められる。その精神そのもの、そして巨大な成果は後世のために残される。イタリアが混乱、弾圧、暴動、欺瞞の下で、己の言語、道徳、詩、政治並びに芸術を作り上げていったあの時代は終わった。だが作り上げられたそれらは、後世までに残り働き続け、ヨーロッパの最初の形となったのだ。フランスの大王ルイ十四世の治世の惨めさと嘆きは、その一部は昔のものとなった。彼が何よりも欲しがった目的は、忘れ去れたか、傲慢な仕方で嘲笑される対象として無為に残ったかのどちらかとなった。彼自身が身につけた青銅の海、彼がいつも住んでいた部屋などは万人の思考の種となりはしたが、それにおいてもルイ十四世は何を欲していたかについて考察を巡らされることはなかった。だがそれらによって陶冶された諸芸術の精神は残ったままだ。植物や硬貨や宝石について人々は探究し、水の深さも測るようになり、それらと関連したもの、もたらしたもの、その目的とされたものは、たとえ全てが滅びようとも、探求の結果として残り続ける。未来は我々を囲む殻を剥ぎ取り、そこから核を手に入れるだろう。小さい枝そのものはそこに何もないが、甘美な果実がそこにぶら下がっている。

我々が世界に撒き散らした光は多くの人の眼を眩ませ、そのために多くの惨めさと暗い思いももたらしはしようが、これらがいつかはあらゆる場所の命を養い、生の暖かさを適度にもたらす光となる。そうなった場合、死んではいるが明るい知識の諸々が、荒野で築かれている骸の山の如く、我々を四方八方で囲んでいる。もしこれらがどこから何のためにかは知らぬが甦り実を結んだとしたら、それはなんという新しい世界だろうか！我が手によって作られたものがその新しき世界においてみられるのはなんたる僥倖か！発明、娯楽、困窮、運命並びに偶然、これらが先代から粗野に纏わりついている感性を超えさせ、そういったものから離れた我々は思考、意欲、生、行為においてより高い抽象観念へと昇華していく。とはいえそれは必ずしも我々にとって好ましいものではなく、不愉快に思われる時もあるが！東方の感受性、ギリシアのより美的な感受性、ローマの逞しさといったものをそれは凌駕してゆく。抽象観念を教えたりその決まり文句を並べたりする哀れな先生方に我々はうんざりするときたものだが、その抽象観念において我々の行動原理、行為のバネ、幸福といったものが根差さざるを得ないことが多い。子供は、その感受性の最後の一滴まで絞られてしまう。だがより高い時代が示している予兆を見るが良い。繊細なものが人の行動原理となり、より高く天上的な徳、つまり抽象的な観念によってこの世の至福さを享受できるようになるとすれば、そういった美徳こそが人の心を極限まで崇高で高尚なものにすることは誰もが認めることだろう。今はこの崖から多くの者が転落していくこともありえよう。スパルタ人、ローマ人、中世の騎士たちが、各々時代においての時代精神の感覚的な花を掌中にできたことに比べれば、現代においてフェヌロン[xvii]の美徳を掌中にできるのは少数かも

しれない。広い街道がますます狭くなってゆき、足の踏み場がほとんどないほどの険しい山の小道となってゆく。だがそれは高く、山頂へと続いている。摂理による曲がりくねった道に立ってみて、殻や障害物を取り除いて新しい春に若者として甦ってみたら、それはどんな気分になるだろう。感性を超越し、自分の本来の人間というものに近づいてゆく。自分の周りには新しい世界が開かれており、生命力も充溢しており、辛苦して求めていた原理なるものをその身体に有している。それはなんたる素晴らしき世界だ！こういう世界がありうるもので、実際に実現できることを誰が否定しよう?あらゆる歴史を貫いて、美徳の観念が感性的な子供時代から洗練性を身につけ純粋になっていく過程を辿っていくのは明らかだ。そしてそれが広がっていき、遠くまで及んでいくことも確かだ。そしてこういったことになんの目的も、なんの意

図もないということがありえようか。

人間の自由、社交性、公平性、万人の幸福という概念が啓蒙され、世界に広まっていくというのは、誰でも知っていることだ。これは最上の結果を我々にすぐにもたらすとは言えず、一見したところでは、悪が善に対して優位に立っているようにも思える、だが！

男女間の社交と恋愛について、それは恋愛がかつて持っていた栄誉と礼儀と規律がかなり色褪せたのではないだろうか？身分、金、作法の全てにおける施錠が外されはしなかったか？夫婦愛、母の愛、教育において、男性における最高級の花、知恵ある女性における高貴な果実、これらがどれほどの損害を被ったことだろう。そしてその傷がどこまで広がったことだろう。改善と治療の源泉、若さと活気とより良い教育そのものが途絶えてしまったら、その傷はもはや治癒できないほど深いものとなる。風に任せて揺れる細い枝は、早々と人生の遊びに耽ってしまうが、力はないのだから日光にあたればたちまち枯れ果ててしまう。その損失は取り返しのつかないものだ。そしてどんな政治手段を用いても矯正不可能なものだろう。あらゆる人間愛のためにいくら嘆いても足りない。だが摂理の手からすればそれもまた道具の一つなのだ。現代においては無数の人々が社交の喜びを人生第一の源泉として、哀れな被造物たちは喉を乾かし喘ぎながらその泉を求めているが、結果彼らは憔悴している。だが彼らが不幸にも思い違いをした泉は、究極的には人を浄化させるものだ。彼らがもっと老いた年齢において、行き過ぎだろうが新たな愉悦を宿す果実を探し、新しい世界を理想化し、その不幸という毒を薬として世界を改善させていくのを見給え。鼇碌したアスパシアたちがソクラテスのような人間を創造する。イグナティウスがイエズス会員を育て上げる。あらゆる時代のエパメイノンダスがレウクトラの戦いを仕立て上げる。英雄、哲学者、賢者、修道士などは、皆より高く、感性を超克した美徳の持ち主であり、絶えず身の向上に努める賞賛に値する人々だ。だが、これだけのことでいかに多くの人が世界全体の改善を唱えていることか。世界にどれだけの有益をもたらしたかを算出したい人はしてみるといい。

眼前には無数の事例があり、大体は確定した結論をすでに出ているだろう。つまりは、摂理の歩みは幾百万の死骸をも超えて目標に向かって進んでいくのだ。

自由、社交、平等、これらが今日では至る所で芽生えているが、それが幾千もの悪用乱用によって災いをもたらし、今度ももたらされるであろう。再洗礼派と狂信者がルターの時代にドイツを荒廃させた。今では社会の階層の垣根は一般的に取り払われ、卑しい者共が柔弱で、高慢で、役に立たない上流階級へとのしあがったが、しばらくするとさらにこの人々は堕落することだろう。人間の最も力強く、必要な土台は空になってしまう。腐敗した体液がより深く沈んでしまう。後見人がこの巨大な有様を目の当たりにして、食欲が増したとか力がついてきたとか思ってこの事態を褒めたり促進したりしたら、譬え逆にこれではいけないと思い流れに抵抗を試みたところで、洗練さは増していき、屁理屈や奢侈、自由、厚顔がますます我が物顔する原因となるだろう。上司、両親、最上の身分に対する真実で心からの敬意はこの一世紀で失われ、ちょっとした比較を行っただけでもその有様は言語に絶するとすら言える。今日では大小どちらのお偉方も、色々な方法を駆使しながら、この潮流の勢いをさらに増すように尽力している。社会の柵や垣根は取り払われ、身分、教育、そして宗教でさえも全て偏見としてみなし蹂躙し、嘲笑するが、それは結果として我が身を傷つけることになる。画一的な教育、哲学、無宗教、啓蒙、悪徳、そしておまけとして圧政、残忍、そして飽くことない貪欲、これらは人の心を掻き立て自尊心を人に抱かせるが、これらによって無秩序と惨めさを味わった挙句に、今日の哲学が声高々にして叫んでいるものへと到達することになる。それは主人と家来、父と子、若者と高嶺の花とも言える乙女、つまり我々は皆兄弟となるわけだ。実にめでたい。主君はカヤパのように死を予言するが、当然第一に自分の頭或いは自分の子供たちの頭に向かって予言するがよかろう。

今日の「人間的統治」が単に美しく包まれただけのもので、その美しさは上辺だけ見せかけだけのものに過ぎず、その言葉も、土台も、主義も、秩序も、それらは今ではどんな本にでも記載されているし、どんな若い王子様もまるで彼は生きた本と思ってしまうほどそういったのをその舌から発するのだが、これが大きな進歩なるものの正体というわけだ。試しにマキャヴェリと反マキャヴェリを一緒に読んでみると良い。博愛主義に染まった哲学者は後者の方を好ましく思い、腐ったことを書いてある箇所については手を触れぬままに花と緑の茂みで覆い、調べようとも調べたいとも思わぬ傷からはわざと目を逸らし、彼はこう言うだろう。「なんていい本なんだ！この本の内容を考えたこの王子はなんて素晴らしい人なんだ！自分の信条を告白し、それを認め、己を熟知して、それに基づいて行動する王子は、現世にとっても後世にとってもなんて素晴らしい人なんだろう！」粗野で非人道的で狂乱の残虐行為の代わりに、同様にして人を苦しめ有害をもたらす病が、一帯を支配することがある。その病は密かに体内に忍び込んで、その正体が知られぬうちに人々から賞賛すらされ、実際はその人の魂の髄までしゃぶり尽くすのだ。哲学と人間愛の普遍的な衣装は、実際は弾圧であるその様態を包み隠すことができる。人間、国土、市民、民族の各々の本質に関わる自由への侵害、これこそがチェーザレ・ボルジアが唯一願ったことだが、それをこの衣装も包み隠しているのだ。こう言った非道な行いを、美徳、叡智、博愛並びに社会福祉を騙りながらその時代に合わせた原理を民衆に心地よい響きで教えてゆく。こういうことはいくらでも起こり得るし、まだほとんど必然的ですらある。こういった表面的には綺麗事を並べて、まるで重大な行為のように褒めそやしているのは、私はごめんなのだ。マキャヴェリだって、我々の世紀にいたらあのようなことを書かなかっただろうし、カエサルも環境や条件が変われば当時のような行いをすることはなかっただろう。結局のところ、表面的な衣装の繕い以外は、何をやったところで変わるまい。だがこれが変わっただけでも慈悲的なものとも言えるだろう。我々の時代でマキャヴェリのように書く者は誰でも、石打ちの刑を施されるだろう。いやこの私の言葉は撤回しよう。マキャヴェリ以上に美徳のためにひどいことを書いても、石打ちの刑に処されることはないだろう。

彼は哲学的に、機知に富んで、フランス流に、そして宗教的な要素を排して書くからだ。つまり「我々と同じように」というわけだ。そしてマキャヴェリの著書を否定することになる。

現代の福祉制度に背きさえしなければ、何を考えても良いと言われている（真の福祉はそれだけ遠ざかっても構わない）。こういう奔放で毒を帯びた枝を伸ばす樹からも、良き果実は実ったのだ。人々が宗教に対して臆面もなく喋り散らされる、ああいった意味があったりなかったりすることも、いつかは素晴らしい作用を及ぼすと思わないかね？宗教の説明や弁護や証明といった行いは、大抵何かを具体的に示すといったことはないときたものだが、それを考慮しないならばどんな偉大な男が次の世紀の迷信を予言するかも分からない。今世紀があまりにも愚鈍な不信に耽溺しているからだ。だが実際にどうなるにせよ（不信に変わるのが結局迷信なので、こういった終わらぬ円循環は断ち切らなければいけないものだが）、宗教と理性と徳は、その敵対者の狂気めいた攻撃をどれほど受けても、最後に必ずや勝利を収めるだろう。その時、機知、哲学、考える自由は、知らない内にまた欲しない内に、この新しい玉座のための足場となるだろう。そして突然雲が分散すると、世界を遍く照らす太陽が栄光に輝きながら現れるのだ。

こういうあらゆることに見られる巨大な普遍的な広がりも、こういったことの知られざる礎となることは明らかであるのは認めてくれると思う。我々ヨーロッパ人が手段や道具を発明すればするほど、つまりそのために他の大陸を征服し、騙し、略奪すればするほど、いつの日か君たちが勝利を収めるのは確かなことだと思う。我々は鎖をかけるが、それは逆にいずれ我々を引っ張ることになるだろう。我々の国家制度はいわばピラミッドを逆さにしたような形態を持っているが、[30]君たちの土地ならばちゃんとした形に戻るだろう。我々と一緒にいればね。要は、全ては偉大なものへと進んでいくというわけだ。いかなる手段にせよ、我々は世界を包む。そしてそれに続くものが、その土台を狭めるということはあり得ないのだ。我々は新たな舞台へと立つ。それによって我が身を滅ぼそうとも、だ。

我々の考え方は、善き面でも悪しき面でも繊細化して、そのために我々の強く感性的な土台やバネは摩耗していく。そして群衆は、これの代わりとなるべきものを築こうという意欲も力も持ち合わせていない。我々はどうなるのか?古き共和国と時代が持っていた感覚的で強い絆はとうに解けてしまった（これこそ我々の時代の勝利だ！）。だが、我々の時代にあるより細い絆は、食い荒らされている。哲学、無信仰、奢侈、さらにこれを国民の隅々まで広めようという教育が、より深くより広く実際に世の中へと浸透していく。今日では知恵はあれど声を立てない人でも我々の政治制度のそのバネを忌避したり軽蔑したりし、キリスト教と世俗との軋轢についても、双方を非難したり、疑惑の目を向けたりしている。そういったわけで、かくて

30（ヘルダー注）サー・テンプルは、ある種の統治形式をこのように例えた。

弱ったものは結局そのまま弱り果てるしかなく、また緊張でなんとか踏ん張っている力も、それが限度を越えれば結局は全てを早々に放り投げてしまうのだ――尤もこういった予言を行うのは私の管轄外だが。

「これほど広がった舞台において上記の欠乏を補填し、新しい生命力の源泉となり、実際になったり、或いはほとんどならねばならないものは何だろうか?新しい精神はこういった光や我々に作用する人間の考え方を温め、構成させ、至福の境地をもたらしてくれるのができるのか、いや実際にもたらしているのか?」こういった予言はますます私の管轄外なのだが、実際にこれらが現実なものとなるならそれは遠い未来であるのは違いあるまい。

兄弟よ、たとえ雲に包まれようとも、勇気を持って楽しく仕事をしようではないか。我々は偉大な未来のために働いているのだからね。

そして我々の目指すべき目標を、混じり気のない純粋で、輝かしいものとできる限りしよう。我々はまやかしの光を歩んでいて、身の回りはまだ暗くて、霧に包まれているからね。

＊＊＊＊＊＊

その時、私はある行為が目につく。或いは行為の沈黙の印とむしろ言った方が良い。それは時代の流行に包み込まれるにはあまりにも大きすぎ、時代を声を上げて賛美するには物静かでおずおずし過ぎている精神によってなされている行為だ。その精神は暗闇の中を人知れず前進し、種を蒔いていく。それはあらゆる神の所業と神の被造物のように、小さな胚から始まる。だがその芽生えの可愛らしい様を見て、その匂いを嗅ぐだけでそれが隠された神の被造物であることがわかる。そして小さいながらもその秘めている素質は、人類、教育、教養（これらは自然が最も必要とすべき、人間愛、共感、同胞愛を強めるためのものだ）といった要素が高貴さを孕みながらその芽生えに宿されている。聖なる植物よ、君たちの間に足を踏み入れて、より良い未来を思って震え慄かないものはいるのだろうか。そして君たちの生みの親が、その人の大小を問わず身分高き王にしろ低き賤民にしろ、それが誰であれ静かな晩や朝、深夜でもいつでもその人を思って祈りを捧げ、祝福しない人はいるのだろうか。単に肉体的な或いは政治的な要素を目的としたものは、破片や死骸のように滅んでゆく。精神、魂、全人類に秘めたる要素、これらは失われず残る。純粋で混じり気のない生命の源泉から多く与えられた人は幸いである。

＊＊＊＊＊

今世紀の精神模様がより高くより広まっているがゆえに、その精神からくる最善と最悪の行為が曖昧漠然としているのは避け難いことである。こういったことはより狭小で、低い世界では起こり得ないだろう。自分たちがなんのために働いているのか、誰もが知らない。全てが大きな海となって、唸りながら波打ってゆく。だがどこへ波打ってゆくのか？それはわからぬが、その恐ろしい響めきだけは聞こえてくる。私を乗せたこの小さな波が果たしてどこへ行くのかなど私に分かりはしようだろうか？最も優れて影響力を持った人が何かを行い始めると、疑いの目を向けられるのは単に敵意や中傷するためだけではない。熱烈な崇拝者も、冷静である時はそれが霧に包まれ曖昧模糊なものに映るだろう。全ての光線はすでにその光源から遠く離れている。それらは皆どこに行くのか？そしていつ目標に到達するのか？あらゆる時代のあらゆる改革に対して非難がなされるのは、誰もが知っている。彼らが新しい一歩を踏み出すと、彼の後ろには間隙が生じ、その前には埃を巻き起こし人々を震駭させ、罪なき人々を蹂躙したというのだ。ここ数世紀の改革者たちにとってまさにこのことが明確に、二重にも該当する。ルター、グスタフ・アドルフ、ピョートル大帝がその該当者である。これほど新たな時代で変化をもたらした者がいるだろうか。これほど高貴な心ばえで世の中を変えた者がいるだろうか。そしてその行為によって、特に予想だにしなかった結果において、後世の人々の幸福を増大させたことに反駁する者はいるだろうか？後の時代の歴史に精通しているものは、時にはこれを大いに疑ったりするだろうか？

我々の時代では

「世紀がその名を刻ませた」

という刻印がルイ十四世の時代以上に大きな一人の君主の名を掲げているのだが、確かにそれはもっともだ。彼がいかに三十年という短い期間で一地域から新たなヨーロッパを創造したか、戦争と統治の術によって、宗教と立法行為に関してムーサを率いるアポロンとして、また王冠を被る一私人として、どれほど優れた業績を上げたことだろうか。その様はまさしく君主の模範とも言うべきものだ。啓蒙、哲学的精神、中庸をその玉座から広めただろうか。東方風の愚かしい絢爛、逸楽、贅沢等は、かつては宮廷を飾る唯一の黄金製の柵であることしばしばだったが、そういうものは徹底的に粉々にされ追放されてしまった。太った無知蒙昧さ、目を眩ませる狂乱や迷信等は至る所で致命傷を受けた。節約と秩序、規則正しさと勤勉、芸術といわゆる自由に考える風流、それらはどれほど高められたことだろう。今世紀はその姿をまるで制服を着た時のように身を包んでいる。今世紀は彼の名前に対する最大の賛辞だということは疑いない。だが、その胸像が刻印された硬貨をひっくり返してみて、彼の博愛哲学者としての業績だけに思いを巡らせてみれば、それはもっと多くの別の姿を呈するのは疑いない。ひょっとすると、人間の行為は必然的に不完全さを孕むという自然の法則によって、啓蒙が広まると同時と無気力さもまた広まったことが分かるかもしれない。節約が現れると貧乏も同時に現れ、哲学の出現とともに近視的で盲目的ですらある無信仰も生まれた。思考の自由は行動においては奴隷的なものをもたらし、花の鎖の下には圧政に喘ぐ魂が出てきた。ローマの制度が偉大な英雄的精神、征服者や好戦的な精神を産出すると、それと同時に無情さや、軍隊がローマを支配していたゆえに、没落と悲惨さが国全土に広まらざるを得なかった。人間愛、公平、中庸、宗教、臣民の福祉、これらは皆ある程度までは目的の達成手段としてみなされ使用されてきたが、これらがその時代に対して、全く異なった体制と秩序に対して、現世にそして後世に対して、どんな影響を与えるのか——天秤は揺れ動くのか？片方が上がったり、下がったりするのか？そもそもどちらの秤が？私にはわからぬ。

「百年の作家」[31]、その人は間違いなく君主のように一世を支配し、リスボンからカムチャッカに至るまで、新島（ツェンブラ）からインドの植民地に至るまで、皆に彼の作品が読まれ、学ばれ、賞賛され、何よりも信奉された。彼の言葉、彼の多彩な文体や言葉遣い、瀟洒、色彩鮮やかな花園を躍動するような思想がそうさせた。だがそれだけでなくより恵まれた場所に生を授けられ、世界のあらゆることを活用し、先駆者や競争相手も利用し、機会に恵まれ、当時の偏見や好ましくすら思える弱さ、特に当時の最も美しい花嫁の有用な弱さを最大限に活用して、全ヨーロッパすらも利用したことが原因だ。これらによって世紀を支配したこの偉大な作家が果たした業績は空前絶後とすら言える。いわゆる人類の哲学、寛大さ、洒脱な自己流の考え方、徳を鑑賞者に好意をもたらすような形態へと多様に変化させる変幻自在なきらめき、平凡で卑小ですらある人間にも合うように薄めて甘い風味を備えたこと、彼は作家として疑いもなく今世紀の偉大な高みにあったのだ。だがその一方で、惨めな軽薄さ、弱さ、不確かさ、冷淡さをも同時に広めたことだろう。浅薄さ、無計画さ、徳や幸福や業績に対しての懐疑、これらを世に広めたことだろう。笑い飛ばそうともしなかった箇所にもその機知を以て笑い飛ばしたことだろう。柔和で、快適で、必要でもある絆をその不遜な手で解いたが、皆シャトー・ド・フェルネーという豪華な建物に住んでいるのでもないのに、その代わりとなるべきものを何も与えなかった。彼が最上のことを成し遂げるにあたって、いかなる手段や方法を用いたことだろう。しかも彼は、道徳がなかったり軽佻浮薄さも感じられる人間感情を哲学や上辺が煌びやかなだけの考え方を用いて、誰の手に我々を委ねるつもりだったのか?彼をめぐって賛否混ざった陰謀が企てられたことがあるのは周知の通りだが、ルソーの説いた理論が彼のといかに違っていたかも知られている。全然違うお互いの主張を、論じ合い様々な点で相殺させるのは、良いことかもしれない。人間の企てはしばしばそのような結末になる。行き交う線は相殺し合うが、それを経て残った最後の点は、今後も残り続ける。

運命が世界に変革をもたらす媒介となる偉大な精神は、元来のその思考と感情全てにおい

---

31（ヘルダー注）ヴォルテールより。

て、凡人の従っているようなどのような一般規則でも測ることができない。高級な種類の例外はあって、この世界のあらゆる目を見張らせるものは、大体こういった例外に由来するものだ。直線は常にまっすぐに突き進むのだから、その途中にあるもの全てはそのままに置き去りにしていく。もし神がそこに極めて異常な人間を、静かな黄道に彗星を投げつけるが如くこの世界に送って、落下させて、最低地点に落ちたらまた上昇させるようにしなければ、事態はそのままであろう。だがその軌跡を目で追う者はない。また、遠く離れた道徳的あるいは非道徳的な行為の経過から、その功績を算出したりその行為の最初の意図を導き出そうというのは神のみがするべきことであり、人間が行うのは愚行というものだ。第一の、そして唯一の行為者である創造主よりも、世界の中で適切な弾劾者を見出すことはできまい。だが友よ、真理、慈善の意識、人類の幸福が全て宿り回転している中心軸からは離れないようにしよう。我々は今、はるかに高い沖合に浮かんでおり、周りにはまやかしの光があり、その光は霧に包まれてもいる。このような光は真夜中の漆黒よりも更に酷いものかもしれない。こういう時は、あの空に輝く星を見失いように努めよう。その星こそが正しき方角を示し、安全と安息をもたらしてくれる者だから。そして我々の歩みを誠実に熱心に導いてくれるだろうから。

あらゆる個体には全体が表れていて、その全体を暗示する言葉にできぬ一つのものが潜んでいる。そういった全体は偉大なものに違いない。小さなつながりが大きな意味合いを示し、数世紀という長さも数語に凝縮され、諸国民も数文字ひょっとしたら句読点に過ぎないかもしれない。それらはそれ自体ではなんでもないものだが、全体の意味を例え僅かでも伝えるという点では、とても重要なものなのだ。人間一人一人よ、君たちはその嗜好と能力で世界に貢献するというのだが、そもそも君たちは何者だというのだ？君はあらゆる観点から完全な生き物だとそれでも主張するというのか？私の立場も所詮地球上の一点に限られていて、目が見間違うゆえに目標を達するのに失敗してしまい、私の嗜好も情熱も本来はどこに向けるべきものかは分からず、私の力が及ぶのはせいぜい一日、一年、一国民、一世紀程度であろう。このことが私は無であり、全体が全てだということを確証させるものである。多数の民族や時代が影のように現れ、その巨大な様態には確たる視点も展望もほとんど宿されていない。こういった盲目な道具とも言うべき者どもが、自分たちは自由だという妄想に耽りながら活動しているのだが、自分たちは果たして何者なのか、何のために活動しているのかはとんと知らないときている。全体像は把握していないのに一生懸命に協力しあって、自分の蟻塚が世界の全てだと思い込んでいる。こういう奴らを道具として働かせている全体の営みはどういうものだろう。その中で我々に見渡せるのは極小な部分に過ぎないのだが、そこにさえ多くの秩序と無秩序が見出されるのであり、また、結び目があると同時に解かれた痕跡が見出される。この二つこそが神の熱烈とも言える栄光を、普遍的に、確たる保証を示すと言えるだろう。一匹の蝿に過ぎぬ私が、その全体を見渡すことができたのなら、己の卑小さを惨めにも感じざるを得ないだろう。もし世界をあくせくしつつよろめき歩いて、一つの考えをまとめ上げるにあたって何の混乱も見出さなかったとしたら、世界の叡智や多様性はどれほど乏しいものだろう。刹那というのは結局無なのだが、だがそれでもその刹那において幾千の考えが作用し、更に種が芽生えようともしている。二拍の音のそのわずか半分の間だけでも、程度甚だしい重音が重なり合って、甘美なメロディーを奏でることもありうるのだ。私は大きな広間を横切っていき、隅に隠れた巨大な絵画を、しかも暗闇の中で何とか目を凝らして鑑賞するに過ぎない。そんな私にどのような判断ができるというのか？ソクラテスが自分と同じ程度の筆力を以て書かれたある人の書物について彼はなんと言ったか？世界と時代をも超越していくあの神の偉大な書物に対して、私は何を言うべきだろう。私はその中の一文字ほどの重みを有さないだろうし、私の周りにも三文字見えるかどうかも怪しいのだ。

一切であろう、一切を知ろう、一切に作用し作り上げようという誇りを持つには人は小さすぎるのだ。自分を無だと思ってしまうほどにへりくだるには、人は逆に大きすぎる。双方とも、それぞれ測り知れぬ摂理の企てを成し遂げるための道具以外の何者でもない。

いつの日か、人類の全体像だけでも見渡せる日が来るだろうか。諸民族、諸地方をつなぐ鎖は、初めは緩やかに動いていたが、やがてガラガラと音をたて諸国を繋いでいき、最後にはゆっくりとだが強い力を以てそれらを繋ぎ合わせた。だが繋ぎ合わせた鎖はどこに連れていくのだろう？鎖もまたどこに行き着くのだろう？我々は器から闇雲に種子を取り出し、諸民族にばら撒いた。そしてその種子が実っている。種子は思いもしない形で芽生え、実に多種多様な外観を呈して開花し、最終的にはどのような実を結実させるかはまだわからぬが、漠然とだが希望を抱かせてくれる。パン種は長い間濁り不味そうなねり粉を発酵させてきたが、ついに人類の普遍的な形成のために美味な食べ物として我々の前にそれが出されたが、その美味を知るために我々は自分で食し味わわなければならない。生命の断片よ、汝はなんであったか？

我らが生きた日々は、いかに大いなる夜に覆われていたか[32]

だがそれでもなお、自分の生命の断片について後悔しない者こそ幸いである

今、私たちは鏡に映ったものを見るように朧げに見ている。だがその時は、顔と顔を合わせて見るであろう。私が知っているのは今は一部分に過ぎない。しかしその時には、私が完全に知られているように、完全に知るであろう。このようにいつまでも在り続けるのは、信仰と希望と愛、の三つである。このうち、最も偉大なるものは愛である。[33]

32　（ヘルダー注）ルカヌスより
33　（ヘルダー注）「コリント前書」一三章一二節、一三節より

【注】

i 旧約聖書における、創世記から出エジプト期にいたる、アブラハムからモーセに至るまでの時代を指す。なお族長は、アブラハムとイサク、ヤコブ、そして時にヤコブの十二人の子供たちを含む古代イスラエル人の開祖たちを指す。

ii Johann Joachim Winckelmann (1717-1768)：ギリシア芸術模倣論』や『古代美術史』で著名なドイツの美術史家。後世の西欧人のギリシア像に多大なる影響を与えた。

iii Timaios：或いはティメオス。プラトンの重要な著作であり、アトランティスの伝承や世界の創生について語られる。

iv Eilotai：現代の発音ではイロテ。古代スパルティで国家によって所有された非自由民の総称。

v Promitheys：発音ではプロメテイス。ギリシア神話に登場するティタン神族の一柱であり、天界の火を盗み人類に与えた。

vi Pinelopi：現代の発音ではピネロピ。オミロス（ホメロス）の叙事詩『オディッシア（オデュッセイア）』に登場するオディッセイス（オデュッセウス）の妻。

vii Thiseys：現代の発音ではティセイス。ギリシア神話に登場するアテネの王で、クレタ島の迷宮でミノタヴロスを倒した話等で有名。

viii Pilio：テッサリアの都市ヴォロスの南にある半島であり山。

ix Ossa：キサヴォス山 (Kissavos) として知られる、テッサリア地方に位置する山。

x Proteys：現代の発音ではプロテイス。ギリシア神話に登場する海神。オミロスの『オディッシア』

【注】

において多くのアザラシを世話している神として登場する

xi Philoktitis：現代の発音ではフィロクティティス。ギリシア戦争に登場する英雄でアルゴー船の冒険にも加わったりトロイ戦争にも従軍したりしている。

xii Aspasia：前五世紀にアテネで影響力を持ったイオニア出身の女性でペリクリスの愛妾であり、賢者としても伝わる女性。

xiii Dimosthenis：現代の発音ではディモステニス。前四世紀に活躍したアテネの弁論家、政治家であり、アテネの指導者として反マケドニア運動を展開したが失敗し自殺に追い込まれた。

xiv Louis Bourdaloue (1632-1704)：フランスのイエズス会士であり、演劇の語りのような上質で一定以上の長さを有する説教で知られている。

xv Marsilio da Padova：十三世紀末から十四世紀中葉のイタリアの哲学者で、ラテン語名の Marsilius Patavinus からマリシリウス・パタヴォニスとも呼ばれる。彼の主著である『平和の擁護者』は人民主権の先駆的な理論ともみなされている

xvi Justus Lipsius (1547-1606)：フランドル出身の学者で、古代ストア的思想の再興を企図した。主著に『不動心について』。

xvii François de Salignac de La Mothe-Fénelon (1651-1715)：フランスの神学者であり作家。深い古典への造詣を有し、代表作『テレマック』でルイ十四世の治世を批判した。

## エピロゴス

ソクラテス：歴史というのは一つの流れである、と言われたら君はどう思うかね。

マテーシス：それは例えるのなら川ということでしょうか。時間というのはまさしく川の流れが如く止まることなく流れていくものですし、歴史というのは時間の流れであることは疑いのないことですから、その意味では流れというのは正しいかと思います。

ソ：そうか。

マ：とはいえやはり川には開始地点となる源があり、そしてやがてどこかでは終わるでしょう。その意味で歴史は流れではあるかもしれませんが、川と形容するのは必ずしも適切ではないかもしれませんね。

ソ：君は歴史に始まりや終わりがあると思うかね。

マ：まあ歴史の始まりというのはつまり時間の始まりと終わりがあるか、ということになりますよね。それは哲学的に証明できないものとされていませんでしたか。

ソ：確かにそうだったかもね。では別の仕方で考えよう。もし歴史を川と例えるのなら、それはどのような川か。つまり、歴史は現実世界の川とは違うかもしれないが、では空想上の川の場合どのようなものになるか、ということになる。

マ：はい。ちなみにその歴史というのは基本的に人間を取り扱った歴史であるということですよね？

ソ：そうだ。それでその場合、まずは川の源泉、つまり開始地点はどこにあるのか、というと結局のところ人間が誕生したところからなる。とはいえ人間がどのように誕生したのかはわからない。神が創造したというのもあるし、他方では猿とかから進化して人間が形成されたという説もある。後者の方が現代では有力だが、確たる証拠があるわけではない。とりあえず後者の進化説を採用するとして、その場合だと川は瑣末ながらも徐々に川としての体を形成していくことになるね。進化説といっても、猿が突然人間に変態したわけではなく、徐々に変わっていったわけだからね。それで、外観上人間が完全に誕生したならいよいよ川が流れてゆくことになる。

マ：はい。それで、歴史というのは進歩することだと思うのですがどうでしょうか。

ソ：それはまあ、やはりそうなのだと考えるのが妥当だと思うがね。万物は流転する、と言われるのだから、世の中は変わっていくのが常だ。そしてその変遷が歴史というものの積み重ねのわけだ。基本的に何か問題があったら、それを解決する、という具合に変わっていき、必然どんどん技術は向上し、世の中は便利になっていくだろう。とはいえ、「進歩」と呼称するかはわからないがね。もしかすると「退化」かもしれない。私にはよくわからないがね。だがもし歴史が変わっていく、あるいは進歩していくとしたら川はどのような形態を持つだろうか。

マ：少なくとも色々とその川の形が変容していくことでしょうね。色々な民族が生まれ、各々固有の文化が生じるでしょうから、一つの川が多数に分岐して、たくさんの川を形成していくことでしょう。

ソ：大きいや小さい、というのは歴史的に見てどのような比喩かね？人口かね？面積かね？

マ：色々な意味で、ですね。繁盛具合というか。

ソ：そうか。

マ：そして民族によっては商売が得意な民族もあったり、軍国的な民族もあったりするでしょう。激動の政治を執り行っている民族もあれば、のほほんとスローライフ的な生活を送っている民族もあることでしょう。故に川の大きさもさることながら、流れについても多種多様なのではないでしょうか。ある川はせせらいでゆったりと流れているのもあれば、怒涛の勢いで流れ見るものを圧倒させる川もあるでしょう。更にいうのなら川そのものだけでなく、川の周囲にあるものも考慮に入れるべきではないかとも思います。かなりの貧困国だったらその川にある景色も荒涼としているでしょうし、逆に奢侈に溢れ贅沢をしているのならその川は何か華やかな、宝石が当たりに散らばったような場所を流れていくことでしょう。一番いいのは、結局自然豊かな景色を川が走っていくことでしょうかね。贅沢すぎず、貧しすぎずという具合に。

ソ：ふむ。

マ：またある川が別の川を飲み込んで、元の川が更に大きくなるということもあるでしょう。

つまり歴史上、国が別の国を侵略することが多々あったということです。更にいうなら川の経路と言いますか、流れ方も単一ではないのではないでしょうか。つまりある川は直進して進みますが、ある川は曲がりくねったりする。これはあの川はこの流れ、この川はこの流れということではなく、一つの川に色々な流れが来たりするのでしょう。何の問題もなくまっすぐ進んだと思ったら、異様に曲がりくねったりする。また経路が錯綜めいている様子もあるということです。つまり政治情勢が何もない平穏な状態だったり、異常事態が国家に生じて、政治も国民も大混乱といった具合もあるでしょう。ずっと平和だった国はないですし、ずっと混乱していた国もやはりないでしょう。また突然何の前触れもなく大地震が起きて、川の形態が大きく変わることもあるのではないでしょうか。運命というのは突発的なものであり、残酷なものであるのですから。

ソ：なるほどね。それで君はそれらの川が最終的にどの地点に行き着くと思うのかね。

マ：まあ、考えられることは二つですね。一つは川がどんどん小さくなって、そのまま終わってしまう。いや、突然何かの障害物ができてパタっと終わってしまうかもしれませんね。もう一つは海へと流れ込んでゆくことでしょうね。

ソ：それらは実際の歴史において何を象徴するのかね？

マ：前者はまあその民族ひいては人類が滅んで、歴史が終わってしまうことでしょうね。どんどん人間が少なくなってゆくか、あるいは地球上の人類がひとまとめに滅んでしまうか、ですね。

マ：それで海へと吸収されてゆく、というのは？

ソ：それは、わかりませんね。自分で言っておいて何ですが。海というのは、実際に歴史に照らし合わせればその特定の民族ではなく、全ての民族というわけですから、もしかすると全民族が手を取り合うとかいう具合かもしれません。いや、むしろ海は宇宙全体とも言えるでしょう。つまり人類の歴史の何らかの形で宇宙全体へと広がりその領分を作っていき、永久に残り続けるかもしれません。と言っても、具体的にはどうなるのかはわかりませんがね。「我々の知性は一寸先の未来をも約束しない」わけですから。

## 編集部より

読者の多くはヨハン・ゴットフリート・ヘルダー（Johann Gottfried von Herder, 1744-1803）を民俗学の重要人物として記憶しているのではなかろうか。十八世紀以降に西欧で隆盛した啓蒙主義では、かいつまんで言えば理性に傾倒して合理性に適さないものを軽んじる傾向にあったが、この潮流に対しヘルダーは合理性で理解できるものの範疇には収まりきらない、伝統的なものや土着の文化の中に重要なものがあるのではないかと考え、口伝えに伝わる民衆歌や民謡を収集し始めたのであった。その後ドイツや西欧世界以外の国々でも民俗学、或いは民俗学に類似する学問手法や学問関心が伝播し、社会学などと結びついたり、果てはナショナリズムなどと結びついたりなどし、日本でも柳田國男の研究により現在では主要な学問分野の一つとみなされている。

簡単にヘルダーの経歴について述べると、一七四四年に現在はポーランド共和国領に位置する東プロイセン・モールンゲンに生まれた。家庭は裕福ではなく大学に進学できなかったが、ヘルダーの才能を見出したある軍医の計らいでケーニヒスベルクの医学部に入学することになった。しかし医学になじめなかった彼は神学部に転部し、卒業後にリガの大聖堂の説教師になった。なお、ケーニヒスベルクの大学で批判期以前のカントの講義を聴講したようである。

一七六六年以降は『現代ドイツ文学断章』などの、神学だけではなく文学や歴史、考古学などに関する書籍を出版するなど、本書『人間形成に関する私なりの歴史哲学』に見られた深い教養に裏打ちされた歴史哲学にも携わっていくが、クロッツの詩を巡る論争や教会との軋轢によりフランスへと去り、フランス哲学に触れる機会を得る。

ドイツへの帰国後は一七七一年にゲーテに会い「疾風怒濤」という文学観の息吹を与え、また一七七二年には言語に対し科学的にアプローチした『言語起源論』を発表し、ヴィルヘルム・フォン・フンボルト等近代言語学を作り上げていく学者たちの先駆けとなるなど、後世の文芸及び人文学にまで重要な役割を果たす活動を行っている。

一七七六年にはゲーテの尽力によりヴァイマールの宗務管区の総監督に任じられ、以降その死まで、スピノザ論争にもつながっていくスピノザ研究を行い、人類史の発展を「人間性」概念を軸に論じた『人類歴史哲学考』、やフランス革命に影響を受けた『人間性促進のための書簡』(一七九三–九五)を著し、哲学者や作家たちと大論争繰り広げていくなどドイツ語圏における極めて重要な著述家として研究と執筆に従事し、五十九歳で一八〇三年に没した。

今回高橋氏によって翻訳された『人間形成に関する私なりの歴史哲学』(Auch eine Philosophie der Geschichte zur Bildung der Menschheit)は一七七三年に書かれ、一七七四年に匿名で出版されたものである。ここでは理性の単線的な発展として歴史を「合理主義的」に理解していたヴォルテールに対するアンチテーゼとしての歴史観を展開しており、故に書名をヴォルテールの歴史観とは異なる「もう一つの（Auch eine）、高橋氏の口を借りれば「私なりの」歴史哲学としたと考えられる。」

詳しい解説は研究書に譲らせていただくとして、この場では少しだけ関連事項について申し述べておきたい。「理性の発展の歴史」等という名前で呼べば聞こえはよいが、しばしば西欧（ギリシアも古代以外はもはや非西欧であり、下手をすると古代のゲルマン人さえもある意味で非西欧なのかもしれない）中心の歴史観丸出しの記述において、古代メソポタミアの文明や古代エジプトは西欧人の歴史観のためのお膳立て、或いは捨て石のように扱われるか、もっとひどい時には「野蛮」な「アジア的専制」を特質とする十把一絡げな諸文明ぐらいの扱いで、西欧の文化的祖である「古典ギリシア」を更に持ち上げるための噛ませ犬ぐらいの位置づけに置かれる場合が多いのではなかろうか。我々日本人としても、「日本って世界史の中で重要性がないよね」、或いは「日本が歴史にプレイヤーとして登場したのは二十世紀ぐらいからか」等と「欧米人」に言われると、なかなか釈然としないものがある。別に君たちのために私たちは存在しているわけではないんだよとも言いたくはなる。

また「東洋」・「東方」という言葉も曲者である。「東洋」・「東方」が「理性の発展史」どれほど寄与しているのか、或いはしていないのか私にはとんと分からないが、「東洋」や「東方」或いは「アジア」という言葉で対ヨーロッパ・西洋という枠組みにおいて日本とエジプトが同じ陣営に属するものとして考えねばならないというのは、我々に対し極めて無理というより

「失礼」な話であり、「東洋」・「東方」が西欧人から見た「余り」や「それ以外の有象無象」として扱われているのはどうも受け入れがたい。仕方ないのかもしれないが。
もちろんヘルダーも時代の偏見があったことは事実であり、我々も多くの偏見と共に生きているわけだが、一七七四年の段階で過度に古典ギリシアや西欧を持ち上げず歴史を記述しようとした点は、かなり先駆的であっただろう。歴史の哲学或いは歴史記述が、誰かや誰かたちの利益誘導の道具にならないことを願うばかりである。

二〇二一年四月

訳者紹介
高橋 昌久（たかはし・まさひさ）
哲学者。

カバーデザイン　川端 美幸（かわばた・みゆき）
e-mail: bacxh0827.miyukinp@gmail.com

人間形成に関する私なりの歴史哲学

2023年6月18日　第1刷発行

著　者　ヨハン・ゴットフリート・ヘルダー
訳　者　高橋昌久
発行人　大杉　剛
発行所　株式会社 風詠社
〒553-0001　大阪市福島区海老江 5-2-2
大拓ビル 5 - 7 階
TEL 06（6136）8657　https://fueisha.com/
発売元　株式会社 星雲社
（共同出版社・流通責任出版社）
〒112-0005　東京都文京区水道 1-3-30
TEL 03（3868）3275
印刷・製本　小野高速印刷株式会社

ISBN978-4-434-32138-2 C0098